D0587826

LA LUNE NE PARLE PAS

récits

La réalisation de cet ouvrage a été rendue possible grâce à des subventions du ministère de la Culture et des Communications du Québec et du Conseil des Arts du Canada.

Mise en pages : André Lemelin
Maquette de la couverture : montage de Raymond Martin
Distribution : Diffusion Prologue

ISBN : 2-89031-258-5
Dépôt légal : B.N.Q. et B.N.C., 4e trimestre 1996
Imprimé au Canada

André Paquette

LA LUNE NE PARLE PAS

récits

Triptyque

Marikanok szeretettel

La lune ne parle pas

«Dans ton temps, p'pa!...» Chaque fois, cette phrase de ses enfants le fait sursauter. S'ensuit généralement un discours du type conseils d'un fils à son père, où on lui apprend, avec ou sans ménagement, que plus rien aujourd'hui ne se fait comme dans son temps... son temps! Ils lui parlent comme s'il n'était pas encore parvenu à l'époque contemporaine et en était resté aux âges obscurs! L'ère du poêle à bois et des chevaux de livraison, certes, il en a connu la fin, mais il n'en est plus là. Il ne leur manque rien: deux automobiles, un chalet dans le nord, la télé couleur, des stéréos dont les haut-parleurs beuglent aux quatre coins de la maison. Ils ont même un appareil vidéo et un micro-ordinateur... rien... rien ne manque! Ils en ont trop, avec toujours un machin en panne et qu'on doit se hâter de faire réparer parce qu'on ne peut plus se passer des bruits qu'il émet. L'époque du moteur à crottin était moins bruyante. Le moulin à gazon, la faucheuse électrique, la motoneige et les engins de l'une ou l'autre des trop nombreuses embarcations à l'ancre devant la maison ne marchent pas à l'essence, ils fonctionnent au bruit.

C'est lui, Carl, le père des enfants comblés, qui a tout acheté et qui seul sait tout réparer. Sans lui, rien ne va plus. *Homo mecanicus*. Et il est en forme, leste et sportif. Il nage, il skie, il joue au tennis, il chasse, il pêche. Quarante-cinq ans à peine... non, à vrai dire, un peu plus, mais si peu, la quarantaine avancée, sans une once de graisse, les tempes argentées, le visage bronzé, avec des muscles bien flexibles et encore toute sa force et, de plus, il lit et écoute de la musique. C'est peut-être ce qui le distingue d'eux, il aime le clavecin et, régulièrement, il les traite d'analphabètes et d'illettrés. Leur culture, c'est de connaître par leur petit nom tous les zoulous qui soufflent dans des saxophones ou se démènent en gesticulant devant des tambours électriques. Il n'est pas encore arrivé à l'âge du rock, c'est ce qui le classe comme fossile du crétacé supérieur aux yeux de ses enfants.

Mais non! Au contraire, ils lui vouent un respect superstitieux. Ce père-là, il sait tout, il fait tout... il ne s'en fait plus comme lui. C'est un produit de l'ère des artisans, quand on savait livrer un produit fini. Et lui, quand il regarde ses enfants, il est fier d'eux. Ils sont sûrs d'eux-mêmes et détendus. De plus, ils sont beaux.

La jeunesse. Ses enfants le lui répètent: «Dans ton temps, p'pa!» Il sursaute. C'était au souper de fin de saison de l'équipe de ski. La station est fière de ses jeunes champions et la gérance de l'hôtel s'est mise en frais, aux frais des parents, il va sans dire. On a organisé un cocktail suivi d'un banquet, puis d'une danse.

Lors du banquet, on a installé les jeunes à une longue table d'honneur. Le capitaine de l'équipe présidait au centre avec, à sa droite la championne, à sa gauche le champion. Le champion, c'était son fils. On a servi des steaks grillés sur un feu de charbon de bois, des pommes de terre cuites au four dans du papier d'aluminium. Sur les tables, des pichets de vin rouge d'origine confuse, un mélange maison moitié vinaigre, moitié teinture. Lui, qui connaît bien le vin, ne toucha pas à cette mixture et commanda pour son groupe des bouteilles plus orthodoxes. Il connaît le vin, voilà! Les autres boivent n'importe quoi.

Il y eut des discours assez brefs émaillés de blagues sportives que seuls les initiés comprenaient, ce qui n'empêchait pas les autres d'applaudir à s'en fendre les paumes. Applaudissements, bravos, lazzis, sifflets. C'est détendu et jovial. Les mères sont radieuses et les pères patients. Les petits frères et les petites sœurs s'agitent et courent partout d'une table à l'autre. C'est leur grande sortie de l'année.

L'orchestre s'avance, les miauleurs et les hurleurs entrent en action et les parents peuvent ainsi regarder leurs jeunes se contorsionner. Ils s'agitent bien. Les mères sont fières de leurs filles. Elles sont saines, sportives et pleines d'aplomb. Pas de gaucherie. Elles dansent comme elles skient, avec naturel. Les grands gars se comportent civilement. La présence de leurs parents les agace un peu, mais les vieilleries finiront par aller se coucher et alors, la sauterie pourra vraiment commencer. Pour l'instant, c'est enjoué mais tranquille. Quelques enfants viennent chercher leurs parents pour les faire danser. Les épouses insistent, les maris cèdent et bientôt presque toutes les tables sont vides. On alterne tangos et musique rock, ce qui permet à tous de rester en piste.

Il y a comme toujours un certain nombre de vieux mâles grognons qui préfèrent tenir compagnie à leur verre. Ils se rassemblent dans le même coin de la salle et s'ennuient ensemble. Ils sont trop gourds et trop lourds pour s'amuser. Toutes les mauvaises raisons sont bonnes pour avoir l'air maussade et se plaindre. On les a traînés ici de force alors qu'ils eussent préféré cuver leur mauvaise humeur à la maison devant la télé. Ils sont tous pareils et ne parlent que d'argent. Payer, toujours payer! Les taxes sur le chalet, les primes d'assurance-incendie, l'huile à chauffage, le compte d'électricité, l'entretien de la maison, et les enfants qui n'en ont jamais assez: ski, patin, tennis, motoneige, yacht, voile... et les vêtements avec tout ça, jamais assez beaux, toujours démodés et les laissez-passer de saison et les cotisations et abonnements multiples! Vive le golf et son dix-neuvième trou, quand enfin on peut s'écraser sous un parasol, devant un bon vieux *gin and tonic* et se caler dedans... Des vieux ronchonneux aux sucs gastriques acides et à la digestion compliquée qui se négligent et qui bedonnent. Les femmes sont plus alertes et plus sportives. Elles se surveillent. Un peu de cellulite à la taille, les seins parfois un peu lourds, mais le tout est corrigé par des vêtements judicieusement choisis et la coiffeuse du village qui sait y faire. Elles sont élégantes et racées. Elles dansent allègrement avec leurs enfants pendant que les vieux contribuables gémissent sur leur ruine.

Tous les hommes ne sont pas si pénibles. Il y en a qui sautent en l'air et font les jeunes beaux, à la grande gêne de leurs enfants. Il y a aussi ceux qui, dans un effort honnête, piétinent sans souci du rythme. Il y a enfin ceux qui sont tout simplement heureux. En fin de compte, ils forment la majorité, mais ce sont toujours les hargneux et les excités qu'on distingue en premier.

Le père aux tempes d'argent a donc dansé avec sa femme d'abord, puis avec sa grande fille blonde qui l'aime et qui est fière de lui. Il a ensuite invité l'amie de son fils aîné, puis ce fut le tour des voisines. Avec plaisir souvent, par strict sens du devoir parfois, il les a fait tourner chacune à leur tour. Quand il a aperçu Maurice, son copain, qui le regardait évoluer et attendait qu'il le remarque, il lui a fait un signe: à tantôt. À la fin du cha-cha-cha, il a remercié sa compagnie, l'a reconduite à sa table. Il s'est cueilli un verre de bière et a rejoint son ami en contournant les danseurs.

— Salut Carl!
— Salut Maurice!
Une bonne poignée de mains.
— Ça va Carl?
— Ça va... toi?
— Ça va!
— Une soirée réussie.
— Nos jeunes méritaient bien ça.
— Ils sont excellents.
— Toute une équipe... bien entraînée.
— ... Avec l'équipement qu'ils ont.
— C'est mieux que dans notre temps.
— On faisait du ski sur des douves de tonneaux.
— Ce qui ne nous empêchait pas de passer partout!
— Partout!
— Partout!
— Tu skies encore?
— Un peu, à peine. Quand tout est parfait, neige parfaite, température parfaite et que je me sens parfaitement en forme, alors je fais deux ou trois descentes, lentement.

— Tu vieillis Maurice, tu te laisses aller. Tu ne devrais pas. Moi je ne manque pas un samedi de ski.

— Je n'ai jamais été un passionné de la remontée mécanique. Dans le temps je m'adonnais surtout à la randonnée… je partais sac au dos et je descendais lentement d'Ivry à Shawbridge par la Feuille d'érable. C'était une bonne piste, je ne sais pas s'ils l'entretiennent encore. Dans le temps…

Et voilà que ça reprend et que ça recommence… dans le temps, dans mon temps, dans ton temps, p'pa! Le père interrompt son ami:

— Dans le temps, dans ton temps! Arrête de dire ça, Maurice. Les enfants me bouleversent quand ils emploient cette expression. C'est comme si j'avais cent ans, que j'appartenais à une époque révolue, comme si, pour moi, tout était fini et que j'étais hors du temps présent! Je vis encore, je suis encore bon! S'il fallait absolument que je donne des preuves, je sauterais toutes ces pucelles-là mieux que les boutonneux qui valsent avec elles!

— Ils ne valsent pas Carl, ils rockent, sois de ton temps!

— …

— Ne t'énerve pas, Carl, reste calme. Ce n'est pas bon pour ta tension de t'exciter comme tu le fais, tu vas claquer une embolie!

L'ami taquine gentiment son copain, mais Carl n'en revient pas.

— Comme si nous étions d'une autre époque! C'est encore mon temps par le Christ! Je fais du jogging chaque matin. Je fais du vélo. Je joue au tennis. Je nage. Je course avec eux. Je skie. Il ne faut jamais se laisser aller.

— Pour un vieux, tu es en forme.

— Oui… je n'ai jamais si bien skié!

— Parfait, ce qui compte, c'est de se sentir bien. Ce qui compte, c'est d'être heureux.

— Es-tu heureux?

— Moi… parfaitement, totalement. Pourquoi ne le serais-je pas? J'ai tout! Je vis dans le plus beau pays du monde, avec les gens les plus courtois qu'on puisse imaginer. Il y a des exceptions, bien sûr, celles qui font apprécier les autres… mais je ne pense pas qu'on puisse trouver mieux qu'ici. Je suis en bonne santé. J'ai de bons enfants, une bonne profession et j'aime ma femme. J'ai tout!

— Moi aussi. Il ne me manque rien, je ne souhaite rien…

— Alors?

— Alors?

— Nos femmes et nos enfants doivent être comme nous.

— Probablement.

— Pourquoi probablement? Dis plutôt: sûrement! Ils ont tout! Ils ont plus qu'ils ne peuvent désirer.

— Il faut en avoir trop pour en avoir assez!

— On leur a tout donné Maurice, tout, tout!

— Même de bons amis!

— C'est vrai!

— On donne tout. On n'a plus rien à soi, même pas son temps, surtout pas son temps.

— La différence entre aujourd'hui et mon temps… et c'est ce qui me bouleverse, c'est que, dans mon temps, je m'appartenais, j'étais à moi-même. Aujourd'hui, je n'ai plus rien à moi, même pas d'avenir…

— Tu portes vraiment mal ta bière ce soir Carl!

— … Tu ne ressens pas ça Maurice, ne plus rien avoir à soi, même pas son rasoir! Le matin, quand tu cherches ton rasoir, c'est le plus jeune qui l'a pris pour couper ses trois premiers poils. Ils te prennent tout. Bientôt, c'est l'auto et, dans la maison et le chalet, ils te tassent dans un coin; tu prends trop de placc!

— Vraiment tu es dû pour une croisière dans le Sud Carl, la Jamaïque ou le Mexique. Acapulco, Puerto Vallarta!

— Ne rigole pas. Les femmes, les enfants, ils nous dévorent vifs! Les femmes… on se fait prendre par elles. Elles se font faire des enfants, puis il faut les nourrir, elles et leurs petits. Ça n'en finit plus. Puis les enfants partent et elles restent là; il faut continuer à les faire vivre, puis prévoir pour le jour où on ne sera plus là, pour que les veuves continuent à bien vivre. On part, puis elles continuent à vivre de ce qu'on a laissé. L'Amérique est le paradis des veuves. Quand elles partent à leur tour, les enfants finissent de dévorer ce qu'on a laissé. De nous, il ne reste rien après les six messes basses chantées à notre mémoire et à nos frais si on y a pourvu dans son testament. J'ai le sentiment qu'il ne me reste déjà plus rien. Je n'ai plus rien à moi depuis longtemps. Je ne me possède même plus!

— Tu ne veux pas sortir un peu. Tu ne veux pas aller prendre l'air, un peu?

— Cesse de t'inquiéter pour moi, Maurice, si tu ne penses pas comme moi, c'est que tu n'as pas encore réalisé ce qui nous arrive. Quand je commence à y penser, je déprime, alors c'est signe qu'il faut que j'aille à la pêche, un petit voyage de pêche de quelques jours pour faire passer l'amertume.

— Alors Carl, tout ce spectacle, c'est pour justifier un voyage de pêche! Une escapade!

— Viens-tu?... Viens avec moi, Maurice. On ira loin. On ira loin seuls. Ce sera comme si on s'appartenait encore, comme si on avait encore vingt ans, sans obligation et sans souci... sans passé. Quand je monte dans le bois, je revis mes vingt ans: pas de problème, pas de stress, pas de compétition. Tout seul. Je laisse tout traîner partout. Je me couche tôt et me lève tôt ou je me couche tard et me lève tard. Je mange n'importe quoi. Rien ne m'importe plus, c'est comme si je commençais à vivre!

— C'est vrai. Tu as raison. Il faudrait aller loin...

— Moi, Maurice, ce n'est pas le goût de partir que j'ai, c'est la rage. Quand le soleil d'avril arrive, que la neige et la glace fondent, que les ruisseaux fondent, que l'eau ruisselle de partout, la fièvre me prend. Je commence à battre des nageoires et à gober de l'air par les ouïes!

— Je suis prêt à partir avec toi, Carl, pas pour une petite partie de pêche en étang mais pour une expédition, une vraie, un voyage de fous!

— Je suis ton homme!

— Tu viens?

— Sûr, certain, dis où, quand, comment, je serai là!

— Je veux aller loin, Maurice, un vrai voyage comme dans le temps, quand on montait au nord faire de l'arpentage chez les Cris. Je veux être seul, loin et à moi-même comme je l'étais à vingt ans!

— Sais-tu où aller?

— Peut-être au lac Secret...

— Où ça?

— Je sais où... je suis un des rares à savoir. C'est loin! C'est loin par le Christ, c'est loin! Deux heures d'avion après dix heures d'auto. Rendu là, il n'y a plus rien. Tout est aboli. Il n'y a plus que l'eau, les arbres, la pluie et le ciel. On est seul comme autrefois.

— Au bout du monde!

— Au-delà du monde.

— On y va?

— Moi, oui… toi?

— Je suis ton homme!

Les femmes et les enfants sont loin et les voisins et les amis. Ils dansent tout autour. Ils sautent, ils chantent, ils crient et rient mais les deux complices ne les entendent plus. Ils ne sont plus que deux jeunes hommes qui préparent une expédition. Ils discutent hameçons et leurres. Ils s'ouvrent des gueules pour montrer comment le brochet mord. Ils sont complètement partis et déjà loin. Quand les épouses sont arrivées et qu'elles les ont vus, transfigurés, elles ont demandé:

— De quoi parlez-vous?

— On parlait de la pêche au ballon.

— Pardon?

— De la pêche au ballon. Quand on pêche le doré, on ne détache pas le premier poisson qui mord. On casse la corde et on l'attache à un ballon. Les dorés nagent par bancs, celui qu'on a capturé continue à suivre le banc et le ballon nous indique où lancer nos lignes.

— Il faut apporter des harpons et des lampes tempêtes pour pêcher la nuit…

— Quand on voit les dorsales qui filent à la surface de l'eau…

— Alors, vous partez? demandent les femmes.

— Oui.

— Quand?

— Sitôt les glaces fondues!

* * *

Partir!

C'est recommencer un peu, se laisser croire que le passé est aboli et que la vie débute à nouveau. Partir au loin comme si on avait encore vingt ans, comme si on n'avait pas, derrière soi, cette histoire de soi-même qu'on a composée lentement, jour après jour, en ajoutant les détails et en précisant les contours, qu'on traîne avec soi et dont on continue sans cesse la rédaction. Biffer les pages écrites et reprendre sans bavures. Partir avec un copain comme si on n'avait jamais vécu et qu'on ne devait jamais revenir.

La préparation est un des grands plaisirs de toute expédition. On rêve et on entretient constamment ce songe éveillé en le nourrissant de préparatifs minutieux. Il faut prévoir l'équipement contre le froid, les vestes, les pantalons, les chandails, les gants, les chapeaux. Ils ne se rendent pas dans un pays chaud; la glace ne devrait disparaître que la veille ou l'avant-veille de leur départ, le 29 mai. Ils arriveront tôt, au tout début de la saison. C'est un lac de vingt-cinq kilomètres de long et, quand la glace cale, que les premiers vents agitent la surface, oxygénant l'eau, les bêtes remontent des profondeurs pendant une semaine ou deux pour se chauffer au soleil, puis elles replongent vers les grands fonds et s'y cachent tout l'été. Il faut arriver tôt pour les prendre. Alors, il fait froid sur ces lacs immenses, dans une petite barque agitée par les vents piqués de neige. On gèle des pieds et des mains. On prend froid dans ces brises humides chargées d'embruns qui s'infiltrent partout.

Ils se préparent pour le pire. Ils porteront des tenues avec, pour se protéger de la pluie, des surtouts de caoutchouc. Aux pieds, des chausses de feutre, enfoncées dans des bottes de cuir huilé. Et si on tombe à l'eau? Mieux vaut ne pas y penser. Ils porteront des vestes gonflables qu'on passe par-dessus le reste et qui finissent par vous empêcher de bouger. Si vous culbutez à l'eau, vous tirez sur une corde, la veste se gonfle, vous maintient à flot et vous porte à la dérive comme un bonhomme Michelin poussé par le vent. Il ne reste plus qu'à vous repêcher. Tomber à l'eau, c'est la fin. Qui viendra nous chercher? Même s'ils parvenaient jusqu'au rivage, comment pourraient-ils arriver à contourner le lac pour revenir au chalet? Comment arriver à franchir les rivières et traverser les marécages? Il n'y a que de l'eau et des joncs. À peine, ici et là, trouve-t-on de la terre ferme dans ce pays détrempé qui n'arrive pas à suer vers la mer tout le liquide qu'il retient. Il n'est solide que l'hiver quand il gèle. Au printemps, c'est un marais sans fin où surnagent des mottes de mousses spongieuses, d'où émergent des rocs mangés de lichens. Tomber à l'eau, on n'y survivrait pas. Personne ne se baigne dans ces eaux. Les Indiens ne savent pas nager.

Pour les nuits, ils montent de grands sacs de couchage en duvet d'eider. On s'y enfonce. On remonte la fermeture éclair, le capuchon du sac noué sous le menton comme un bonnet de nuit. On ferme les yeux et on s'endort vite en exhalant de la buée à chaque expiration. On couche tout habillé. Pas question de se changer. Au retour, on fera halte dans un motel, près de Québec, pour prendre une douche, se raser et revêtir des vêtements propres.

Des vêtements, ils sont passés aux choses sérieuses; la révision et l'achat de leurres, de lignes, de couteaux, de flotteurs. Ils entrent en transe sitôt qu'ils passent la porte d'un magasin spécialisé. L'envoûtement commence au

comptoir des appâts, goujons finlandais, cueillères américaines, mouches artificielles. Il faut qu'on leur ouvre tous
les tiroirs, qu'on les laisse fouiller dans tous les comparti-
ments de toutes les armoires, qu'on leur montre toutes les
nouveautés. Ils sont à la recherche du leurre infaillible
auquel aucun poisson ne saurait résister. Ils ont dépensé
une fortune en nouvelles cannes et en moulinets neufs. Ils
ne peuvent pas courir le risque, une fois rendus si loin, de
se retrouver avec un engin brisé. Il leur faut aussi une
gaffe, un harpon, un nigog, des pics, des puises. On offre
en vente un sonar avec écran cathodique, un radar à poissons. Le père des jeunes skieurs ne peut résister. «... Avec
ça, mon vieux, on ne passera pas notre temps à promener
nos lignes dans des eaux désertes. On repère les bancs. Le
sonar indique la profondeur. C'est comme pêcher dans un
vivier! Il faut mettre toutes les chances de notre côté!»

Couteaux, haches, machettes, pinces pour extirper les
hameçons des gueules. Il faut tout prévoir. Là-haut, il sera
trop tard. Il n'y a pas de magasin général pour acheter le
tire-bouchon qui manque et qu'on oublie invariablement.
«... Apporte ta .22, on ne sait jamais!»

Ils ont fait le tour des magasins et se sont achetés le
superflu qu'ils jugent essentiel, sans oublier l'indispensable: une caisse de vin blanc, deux bouteilles de scotch,
un litre de gin. La veille du départ, ils ont chargé la voiture
et, à cinq heures du matin, le père se faufilait sans bruit
hors de la maison.

C'est le printemps à Montréal. Il fait soleil très tôt, un
soleil gai qui filtre au travers du feuillage vert clair des érables et qui n'accable pas encore. Il n'y a personne dans les
rues et les policiers dorment toujours. Il roule lentement et
franchit les feux rouges sans s'arrêter. Il va chercher son ami.

Maurice l'attend. Il a préparé un déjeuner rapide, du café et des toasts. Ils mangeront copieusement plus tard, sur la route, passé Québec. Ils ont un long voyage devant eux: dix heures de route; un peu plus de deux heures jusqu'à Québec, au moins trois de Québec à Alma, trois autres, si tout va bien, pour se rendre à la chute des Passes. Rendus là, ils montent dans le Cessna et il faut compter deux heures de vol pour atteindre le lac Secret.

Six heures du matin sur la route de Québec. Montréal se réveille à peine. Quelques autos sur le boulevard Henri-Bourassa. Des camions remorques qui roulent à toute vitesse, qui prennent toute la route et qu'on n'arrive pas à doubler. On passe le tunnel Hippolyte-Lafontaine et, au-delà du Richelieu, c'est la longue route monotone qui commence. À huit heures, ils sont en face de Québec, en pleine circulation. Ils traversent le pont, contournent la ville, parviennent à Charlesbourg, puis s'engagent sur le chemin du parc des Laurentides. À dix heures, après s'être arrêtés prendre un café, ils sont dans les montagnes et longent le lac Jacques-Cartier. Le soleil est de plus en plus fort à mesure que la journée avance. Montréal est loin derrière eux maintenant, et les taux d'intérêt en folie et le marché boursier qui culbute et les immeubles en mévente et la morosité générale et la crainte de tous les malheurs à venir.

Ils sont détendus et joyeux et roulent à cent trente kilomètres à l'heure, en plein soleil, dans un paysage de début du monde. Ils parlent de leurs enfants. Ils souhaiteraient bien, tous les deux, qu'ils se marient entre eux. C'est un souhait qu'ils ne formulent même pas parce qu'avec les enfants, il ne faut jamais parler; il ne faut même pas suggérer. Imaginez la réaction de sa fille s'il fallait qu'il ose mentionner le nom du fils de Maurice. Il se ferait rabrouer. «À quoi penses-tu, p'pa. Stéphane, c'est un copain, un ami de toujours. On se connaît depuis l'âge de cinq ans. J'aurais l'impression d'épouser mon frère… un inceste! Et je sais tout ce qu'il pense. Ce n'est pas très excitant!»

Et s'il parlait à son fils de la fille de Maurice, il n'aurait même pas de réponse. Le grand ne dirait pas un mot et disparaîtrait, une fois de plus. Il est discret dans toutes ses entreprises. Il préfère l'or du Yukon aux pépites qu'il trouverait dans la cour arrière de la maison. De plus, on ne se risque pas avec les petites voisines, surtout si les parents sont des amis. Il faut éviter les histoires. Tout le monde se surveille, tout le monde chuchote. Mieux vaut s'abstenir. François chasse donc au loin ou plutôt, comme il le dit, son territoire de chasse est loin de son camp de base et les bruits de ses exploits ne parviennent ici qu'assourdis par l'éloignement.

— La meilleure façon d'emmener tes enfants à faire ce que tu veux, c'est de prêcher le contraire de ce que tu souhaites.

— C'est partout la même chose. Moi, je ne parle plus. Je me tais. Le silence est d'or, mais c'est contraignant. Quand ils sont partis et que je suis seul avec ma femme, parfois, je ne me contrôle plus et je proteste. Elle rit de moi. Nous, les hommes, tout ce qu'il nous reste à faire c'est travailler, payer et nous taire.

— Nos femmes sont restées plus jeunes que nous.

— Tiens… te voilà mélancolique! Non! Il faut qu'on apprenne à se mêler de nos propres affaires, on a trop tendance à vouloir tout gérer!

— Tout ce qu'il nous reste à faire, c'est de continuer!

— Non, il nous reste à commencer à penser à nous-mêmes!

Ils se sont arrêtés à Alma faire les provisions, puis ont repris la route. Il leur reste encore trois cents kilomètres à franchir sur un chemin caillouteux. Trois heures à conduire précautionneusement en espérant qu'un orignal ne débusquera pas soudainement pour se jeter devant vous, en priant pour qu'il n'y ait ni panne ni crevaison. Il n'y a pas une maison de Saint-Ludger jusqu'à la chute des Passes. Trois heures à espérer que les ponceaux tiendront et supporteront le poids de l'auto. Enfin, les voilà rendus. Au bout de la route, un immense barrage construit en pleine solitude dans un paysage viré à l'envers, les rocs à nu, la terre dévastée, les arbres fauchés à ras de terre comme si un incendie avait tout ruiné. Les hommes sont arrivés! Plus loin, un rassemblement de cahutes de pionniers, une base d'hydravions. Des déchets partout, des amoncellements de barils de fuel et d'essence, des cordes de bois, des baraquements bancals, un dépôt et un entrepôt pour ceux qui veulent monter plus au nord.

Sur le bord du lac, le pilote est là qui les attend. L'avion flotte, amarré à une souche.

— Merveilleux, leur dit-il. On est synchronisés. Je suis arrivé il y a dix minutes à peine. Il faut faire vite et partir afin d'arriver avant la nuit. Le plafond est haut, pas un nuage. Les vents sont bons. Dans deux heures, on sera rendus.

— Trop de stock?

— Non, on prend tout… allez, on charge.

Deux heures à voler au-dessus de la taïga, puis de la toundra, parsemées de marais et de plaques de neige. Ils y sont enfin! Les premiers de la saison. L'avion se pose sur le lac Secret. Ils ouvrent le chalet. C'est une hutte de bois juchée sur pilotis, couverte d'un toit de tôle. C'est humide et ça pue le moisi. C'est sale aussi. Les derniers occupants de l'automne n'ont ni ramassé leurs restes ni récuré les chaudrons. Il faut tout nettoyer et amorcer la pompe du puits. Pourvu que le tuyau ne soit pas gelé dans le sol; le permafrost n'est pas loin. Non. Parfait. Ils allument un feu, balaient de leur mieux, font bouillir de l'eau, entrent les bagages. Pendant que la hutte se réchauffe, ils poussent une embarcation à l'eau et vont lancer leurs lignes. L'avion est déjà reparti. Vingt minutes plus tard, ils ont déjà trois truites pour le souper. Il est vingt-deux heures et il fait encore clair. Ce sera bientôt le solstice.

Maurice a allumé un feu devant la porte du camp. Quelques éclats de cèdre, des écorces de bouleau, des rameaux de pin et la flamme monte. Le feu bien pris, ils ont ajouté des bûches sèches et si ce n'est le chuintement de la sève qui bout dans le bois, on n'entend plus que le silence.

La lune préside au-dessus d'eux dans un ciel qui crépite d'étoiles et se tord de volutes boréales. Maurice n'ose pas bouger. Il n'ose même pas tisonner le brasier pour l'activer. Son ami est parti dans ses souvenirs et il ne faut pas perturber l'immobilité de la nuit. Le silence parle et les images des songes roulent en accéléré. Maurice n'en peut plus de se taire, il faut qu'il parle.

— Écoute, le pays parle.

— Pardon, dit Carl, comme s'il s'éveillait, la Lune ne parle pas, a-t-il continué.

La Lune devant soi. Unique et immense, elle parade devant eux, minuscules et figés. Elle glisse lentement, impassible et distante. Ils ont frissonné. Carl a tenté de conjurer la fascination. «Elle ne voit pas non plus», a-t-il ajouté.

Un nuage l'effaça, mais la Lune reparut et reprit son chemin, lentement elle descendit, se retira parmi les ombres, les arbres et la brume et s'oublia dans la nuit. Ils l'ont regardé disparaître puis sont entrés.

À six heures, le lendemain matin, ils frissonnent déjà sur le lac. Jusqu'à vingt heures, ce jour-là, ils ont pêché sans discontinuer. Ils ont longé toutes les baies, rejetant à l'eau tout ce qu'ils pêchaient. Ils ne viennent pas aux provisions. Ils sont montés ici pour capturer un monstre qui rôde dans les profondeurs. Ils ont rejeté à l'eau une cinquantaine de poissons, ne conservant que ce qu'il faut pour le repas du soir.

Ils tendent leurs lignes et sillonnent les baies. Il s'est mis à pleuvoir. Il vente aussi. Bientôt, il neige. L'écume gèle et, pour se réchauffer les mains, ils les posent sur le moteur du bateau. Ils sentent alors la chaleur passer à travers leurs gants de cuir mouillés. Ils sont habillés pour résister à tout. Heureusement, il ne peut pas faire plus mauvais temps. Le diable n'arriverait pas à survivre ici.

Puis, ils ont commencé à remonter les rivières, à sauter de lac en lac. Ils se sont rendus au bout, au bout du bout.

Un matin, ils sont partis à cinq heures, habillés et équipés comme pour ne revenir que dans trois mois. Ils ont traversé le lac, sont arrivés au bout d'une baie et ont remonté la rivière qui s'y jette. Ils ont franchi les rapides et les tourbillons et sont montés. C'est toujours plus haut et plus loin qu'il faut se rendre. Plus personne n'ose venir jusqu'ici. On ne sait plus franchir les rapides et contourner les remous. Qui donc aujourd'hui, à la couleur de l'eau qui coule sur les roches, sait déterminer sa profondeur. Il faut savoir apprécier s'il y a suffisamment d'eau pour passer. On ne sait plus lire l'écume des tourbillons et interpréter ces longues traînées baveuses qui s'effilochent au pied des chutes.

Il y en a peu maintenant qui connaissent l'art de lire les rivières. Ils sont tous les deux parmi les derniers initiés. Personne ne pourra plus monter jusqu'où ils sont allés. Ils ont donc dépassé le premier palier et sont parvenus à un lac. Sur la berge, des traces de feu et une boîte de soupe rouillée. «On n'est pas assez loin, il faut continuer. Warhol fut ici, peut-être!»

Ils sont repartis et ont traversé l'étendue d'eau toute bordée d'épinettes noires qui se mirent dans l'eau comme tant de cils d'un œil regardant le ciel. Ils ont franchi deux cascades à la tête du lac, la première en la remontant, le moteur à plein régime, la seconde en portageant. Ils ont halé leur embarcation et tout le stock par-dessus les rochers. Ils ont ensuite engagé la rivière fuyante. Maurice est couché sur la pointe de la barque et dirige. Il surveille les roches qui effleurent la surface. Ils courent sur l'eau. Ils sont enfin au bout de la course. Un petit lac régulier comme un cratère où l'eau des ruisseaux tombe en cascades des crêtes. Un lac rond, entouré de falaises.

Pour la première fois depuis huit jours, le soleil enfin s'est montré. Il est midi, ils sont tous les deux debout dans la chaloupe et lancent leurs leurres. Toute la journée, partout, ils ont pris du poisson, des truites grises et des brochets, tous de taille moyenne. Ils en ont rejeté un bon nombre à l'eau. En passant près d'une pointe, un écureuil roux gloussait sur une souche, la queue remontée le long du dos jusqu'à la tête. Carl glisse une balle dans la culasse de la .22, tire et touche la bête à la tête. C'est ici que la dépouille peut servir, ici où se ramassent toutes les eaux tourbillonnantes pour s'assagir avant de se déverser. Il a dépiauté l'écureuil, l'a enfilé sur sa ligne en prenant soin de dissimuler la pointe des hameçons dans la chair et a lancé la boule de sang au loin, comme un simple leurre. Il ramène lentement, lève sa ligne, lance à nouveau et recommence. «Comme à Tuvalik, quand j'avais vingt ans.»

L'attaque fut brutale. La perche a plié en deux et la pointe touchait l'eau. Le fil du moulinet s'est déroulé en sifflant sans qu'il puisse le retenir. Dès l'attaque, il a ferré et la bête s'est trouvée prise. Il faut la ramener.

Il roule lentement, avec difficulté. C'est une truite ou un très gros brochet qui se défend durement. Il l'approche lentement en levant la perche haut en l'air pour mieux tirer. Sitôt que le poisson a vu la barque, d'une brusque détente de la caudale, il s'est propulsé vers le fond. Il fuit et le fil se déroule à nouveau. Il faut recommencer, lentement, épuiser la bête, la noyer. Il recommence, roule, remonte. Maurice a ramené sa ligne et remonté le moteur pour éviter que le fil ne s'enroule autour de l'hélice. Il s'est assis; fume, la puise à la main, en attendant le moment d'intervenir.

La truite est maintenant tout près. On la voit tournoyer sous la chaloupe. On voit sa grande masse noire remonter lentement. Carl continue à la tirer. Maurice descend la puise à l'eau et, alors que le poisson passe, il le capte, tête première dans le filet et le monte dans la chaloupe. Dix kilos! Pas de bavures. Ce sont deux experts. Tout a semblé si facile et si normal. Tout s'est si bien passé. C'est le savoir-faire. Ils en ont assez maintenant. Ils ramènent huit truites de cinq kilos et plus, quatre brochets de six kilos et cette belle prise de dix kilos. C'est assez. La plus belle, c'est la dernière, une forte bête, la tête large, les nageoires fines, la caudale coupée en V pour la force. Elle est couverte de blessures et de cicatrices, comme un vieux guerrier.

Il faut maintenant penser à redescendre. Ils sont allés si loin. Ils ont tout oublié. Il n'y a plus rien qui subsiste quand on est rendu ici. Il n'y a plus rien, des rochers de plus en plus stériles, quelques lichens et le froid qui s'infiltre au fur et à mesure qu'on s'avance vers lui. Il vous entoure soudain et vous êtes en lui, il est gris d'abord et plein de brumes ouateuses et, au fur et à mesure qu'il s'affirme et durcit, il devient plus blanc et soudain, lorsqu'il devient intense, il éclaire de lumière et de soleil.

Le froid absolu, le gel dur, couleur de sel, éclatant de feu.

Ils ne peuvent pas monter plus loin. S'ils voulaient continuer, il leur faudrait tirer la barque sur les galets, la hisser sur la crête, puis la faire glisser, la faire descendre de ruisseaux en rivières vers la mer Arctique, jusqu'à ce que le gel les stoppe et les fige. Tout s'arrêterait alors, tout deviendrait imputrescible et immuable. L'éternité est là, à portée de quelques efforts. Il suffit de grimper un peu, juste assez haut pour pouvoir ensuite se laisser aller jusqu'à l'immobilité qui vous apprivoise, puis vous gagne et vous apaise.

Maurice lance un dernier leurre, puis ramène et demande à son ami:

— On retourne?

— Attends-moi, répond Carl.

Il a approché la barque du rivage, a sauté, puis a repoussé la chaloupe. Maurice s'est éloigné un peu, a jeté l'ancre, s'est levé et a recommencé à lancer sa ligne. On ne sait jamais, il y a peut-être d'autres grosses pièces. Avec toutes les morsures que la grosse truite porte sur le corps, elle doit avoir des ennemis de taille dans le lac.

Carl a sauté sur la rive, a franchi la petite étendue de terre spongieuse et de sable jaune qui borde le lac, a traversé le rideau de bouleaux nains et d'aulnes et est parvenu aux falaises. Il a grimpé sur les rochers et s'est dirigé vers le faîte de la crête. Il veut voir au-delà. Plus il monte, plus les nuages et la brume deviennent opaques et gris; la pluie encore. Le vent s'y est mis. La neige, dure et piquante comme de la grêle, a recommencé à brouiller le paysage. Les perspectives disparaissent et il ne reste plus qu'un nuage mouvant qui s'approche et déferle en volutes.

Monté sur le bloc le plus haut, penché en avant pour mieux voir, la main en visière, il a plissé les yeux. Il ne voit plus rien. Il n'y a rien, plus rien que le fait d'être seul face à rien. Il n'y a que l'immensité des brumes, la désolation du roc et des gels et l'étendue stérile qui se poursuit. «Rien», a-t-il dit. Puis, se parlant moqueusement à lui-même: «Rien… il n'y a jamais rien eu… on n'a jamais rien trouvé. C'est ici le bout du monde. Il n'y a plus rien, il n'y a pas d'au-delà. C'est fini. Il n'y a pas à espérer. Il faut se contenter d'être et d'oublier.» Et il est redescendu.

— On part?

Carl remonte l'ancre. Maurice tire la corde du moteur. S'il fallait qu'il ne reparte pas, on est si loin! Le moteur tourne, il démarre. La proue ouvre l'eau noire où s'imprime le ciel, puis il faut sauter les rapides. On parvient au bout du lac, jusqu'au bord du déversoir. Soudain, on y est. L'eau culbute et s'engouffre. La barque court. Maurice coupe le moteur, le relève et dirige à l'aviron. Couché à l'avant, Carl le guide et le prévient des obstacles: à gauche, une roche, à droite, un tronc. On glisse rapidement contournant des racines qui se dressent hors de l'eau et se hérissent comme des mains.

Le calme à nouveau puis une autre cascade, une petite chute, des remous, des sauts, des cascatelles, des barres de sable, un autre lac, une passe, une nouvelle rivière, un autre saut, un rapide et enfin, le grand lac.

— Comment a-t-on pu oser aller jusque-là.

— On avait oublié qu'il fallait revenir!

Il tire la corde à nouveau et redémarre le moteur. Le vent s'est élevé! Vingt milles de lac à traverser. Il faut louvoyer entre les îles, se cacher des bourrasques et des rafales, se glisser entre les pointes, retrouver son chemin parmi ces archipels d'îles toutes pareilles, plates toutes, avec leur couverture d'épinettes pointues, sous le même ciel et, au bout de chaque pointe, le même pin blanc tordu accroché aux mêmes rochers gris.

Ils se relaient au gouvernail et se rapprochent du camp. Pourvu qu'ils ne perdent pas leur chemin dans l'enchevêtrement des îles et des marais qu'aucune carte n'arrive à fixer parce que leur étendue varie avec le niveau de l'eau qui change selon les saisons. C'est une mer sans fin lors des eaux hautes du printemps qui se rétrécit de plus en plus et se fractionne en août en une multitude d'étangs couverts d'algues et de nénuphars, où les hérons bleus, hiératiques et attentifs, harponnent les grenouilles de la brusque détente de leur long bec.

Le moteur n'a jamais manqué. Comment auraient-ils pu remonter contre le vent à la rame? Impossible, ils seraient restés là jusqu'à ce qu'on les retrouve et qu'on vienne les chercher un jour ou deux plus tard. L'avion serait venu, aurait survolé le lac et les marais et on les aurait retrouvés tassés autour d'un feu à l'abri du vent. Le bois ne manque pas. On commence par un petit feu de branches mortes qu'on arrache du tronc des épinettes. Pour attirer l'attention, on aurait coupé des rameaux verts qui auraient dégagé de la fumée. Il n'y a pas de problème si l'avion peut voler. Mais si le plafond est bas, s'il pleut et que le Cessna ne peut décoller, alors on s'accroupit, les coudes au corps, on se cache de la pluie, sous le bateau qu'on tourne à l'envers, on attend. Il faut indéfiniment rester immobile.

Le moteur a tenu bon, les a ramenés au chalet. Ils n'ont pas manqué de gazoline. Quand la proue a touché la plage, Maurice a sauté sur le sable et a tiré l'embarcation sur la grève. Ils sont entrés dans la hutte pour manger un peu et faire leurs bagages. Puis, dans le ciel, soudain, au-dessus du camp, ils ont entendu le moteur. L'hydravion a fait un grand cercle et est revenu se poser face au vent, devant le chalet. Ils ont à peine eu le temps de charger et de décoller.

Revenir. Revenir contre le vent, dans la pluie et la neige, qui à nouveau brouillent le ciel. A-t-on été prudents de partir? Le plafond a brusquement baissé et on distingue à peine le sommet des montagnes qui émergent de la brume et des nuages. Il faut voler le plus haut possible pour éviter les crêtes, l'avion n'a pas de radar.

Les coups de vent se succèdent. En bas, dans les espaces entre les volutes de vapeur, on distingue la forêt, les marais, les rivières. Il ne faudrait pas tomber dans ce magma dont on n'arriverait pas à se dégager. Il est impossible de suivre à pied les rivières. Elles sont entrecoupées de cascades, se perdent dans des marécages sans fin, se transforment en lacs grands comme des mers dans lesquelles se jettent d'autres rivières.

Tomber! Si l'avion tombait. Il n'est même pas certain qu'ils pourraient reprendre la route à pied. Ils risqueraient de rester captifs dans la cabine ou de se blesser dans la chute.

Par le Christ, que font-ils ici? En plein ciel, soudain, l'angoisse les étreint. Si loin, avec un pilote casse-cou et irresponsable qui courra tous les risques pour respecter son horaire, revenir à temps à la base pour un nouveau voyage et remonter dans le Nord. Il fonce dans la brume et le vent. Les grêlons claquent sur le pare-brise. En-dessous, la succession des lacs et des champs de lichens, un pays plat où rien n'arrête le vent. Brusquement, une montagne se dresse, imprévue comme un bloc erratique. Il faut remonter et frôler la cime des sapins pour la franchir.

Carl a pensé à tout au milieu des éclairs qui zèbrent les nuages. S'ils tombent, il faut absolument qu'on les retrouve, autrement les compagnies d'assurance prendront sept ans avant de régler, sept longues années pendant lesquelles sa famille devra continuer à vivre, les enfants continuer à manger et à étudier, sept ans de misère. Au bout de sept ans, les compagnies paieront sans doute, mais il sera peut-être alors trop tard. Le mal sera fait, la famille disloquée.

Quelle folie! On peut se permettre de courir ces risques à vingt ans, quand on n'a charge que de soi, non à quarante avec une femme et des enfants. Trop tard! Il faut traverser l'immensité perdue et stérile et revenir à la base. Par un temps pareil, on ne retrouve plus ses repères et la boussole est folle, on survole maintenant les immenses dépôts de minerais de fer. Le pilote a reconnu une rivière et la suit. C'est le seul moyen de se retrouver. Le moteur tient, la réserve de carburant n'est pas trop entamée. On avance toujours, ballottés par le vent. Le pilote se penche en avant, au-dessus de son guidon, pour mieux voir. On approche, on y est. En dessous défilent maintenant les collines pelées et dévastées. Tout est détruit et bouleversé: les hommes ne sont pas loin. La terre est ravinée, coupée de chemins. Le bûcheron québécois est passé par ici, rien ne repoussera plus.

Ces horreurs procurent un sentiment de sécurité: les hommes ne sont pas loin. On voit les dégâts qu'ils ont commis. On a quitté l'immensité inviolée et traîtresse, la hache et la scie l'ont défigurée. On approche de chez soi. La base et ses tas de débris!

Le pilote tourne dans le vent et se pose face aux vagues qui écument et qui heurtent les flotteurs en une série de secousses comme si on atterrissait sur un champ de cailloux. Il accélère pour garder l'hydravion le nez en l'air. Il glisse sur l'eau, s'abaisse et s'arrête.

Ils descendent fourbus et épuisés. Maurice, une jambe ankylosée par la tension, tombe sur les genoux. Pendant toute l'envolée, il avait les muscles tendus et bandés par la crainte. Il s'est massé la jambe, a pu faire quelques pas, puis le mal est passé.

Ils ont rapidement déchargé l'avion. Le coffre est plein, les banquettes arrière aussi, puis le pilote est reparti. Ils sont montés dans l'auto et ont foncé sous la pluie qui frappe les vitres et qui claque sur le sol. Ils avancent lentement. Il n'y a pas de fossé et avec l'eau qui ne cesse de tomber les ponceaux débordent. Ils avancent lentement dans les mares qui inondent le chemin.

Saint-Ludger de Milot, le village frontière, enfin le macadam! Alma, pour faire le plein. Il est temps, les réservoirs d'essence étaient vides. Le Parc maintenant. La brume à nouveau. Maurice s'est endormi. Carl conduit seul. Il ouvre la radio. Bientôt les postes canadiens se taisent, restent les stations américaines qui persistent toute la nuit. Le Parc est derrière eux. Québec maintenant. Carl contourne la ville, se trompe, rate le pont et s'en aperçoit alors qu'il est déjà engagé sur le chemin de Portneuf, la maudite petite route qui traverse le pays de village en village. Enfin, Trois-Rivières. Il retrouve l'autoroute et fonce. Il conduit depuis huit heures. Il est maintenant deux heures du matin. Bientôt chez soi. Le bout de l'île de Montréal. Vite le boulevard Henri-Bourassa. Il réveille Maurice devant chez lui, sort ses bagages de l'auto et les dépose sans façon sur le trottoir.

— Déjà arrivés, dit Maurice, en s'étirant.

— Par le Christ! T'as dormi tout le long du voyage! Compte-toi chanceux de ne pas être au Paradis... Salut, j'ai hâte d'arriver chez moi.

Encore dix minutes. Il y est. Il trouve la clef et, précautionneusement, il ouvre la porte. Il va se glisser silencieusement dans le lit où dort sa femme, se blottir et s'endormir.

Non! Il faut d'abord se déshabiller, laisser ses vêtements dehors sur la galerie, prendre une douche et ensuite se glisser sous les couvertures.

Il entre. On n'entend personne respirer. Il n'y a personne ici? Intrigué, il ouvre les lumières. Il n'y a personne dans son lit et les enfants ne sont pas dans leurs chambres. Que se passe-t'il? Sur la table de la cuisine, une note. «Nous sommes à N.Y.»

Lui au nord, eux au sud. Pas la peine de se donner de mal. Il se verse un scotch, se déshabille, prend une douche. Il déambule sans réfléchir puis se couche.

À huit heures, le lendemain matin, le téléphone sonne. Il se réveille en sursaut. «C'est toi?» Elle est bien à New York avec les enfants. Ils ont visité le Musée d'Art moderne, le Guggenheim, ils...

— J'étais inquiète. Ma mère m'a téléphoné il y a dix minutes à l'hôtel. Il y a eu des accidents d'avion dans le Nord. J'ai pris une chance, je t'ai appelé.

— Je suis bien là... oui, un beau voyage... de la pluie, du vent, de la grêle... Je suis là, je suis là... oui... c'était loin, très loin... aux limites du temps... il n'y avait plus que le temps et l'espace... et rien... plus rien... rien du tout.

Il raccroche. Ils reviendront dans deux jours. Il ouvre la porte d'entrée et ramasse le journal que vient de lancer le camelot. Il est huit heures. Il lit. C'est vrai. Un avion est disparu entre Shefferville et la chute des Passes. Un moustique perdu dans le vent. On ne retrouva jamais cet avion perdu.

Les familles devront attendre sept ans.

C'était aux limites du temps et de l'espace, là où il n'y a plus rien, aux limites de l'espace, là où il n'y a plus que le temps.

La bataille de Sanmaur

Vous ne trouverez pas de trace de la bataille de Sanmaur, quel que soit le livre d'histoire du Canada que vous consultiez. Les auteurs, qu'ils soient francophones ou saxophones, sont muets à son sujet. Par ailleurs, il est probable qu'elle n'eut pas lieu... Il semble bien, cependant, qu'elle faillît avoir lieu!

Sanmaur, sur le haut Saint-Maurice, est la capitale des Têtes-de-Boules. C'est le nom des Indiens qui nomadisent dans la région et, pour ceux que les informations précises intéressent, le nom indien de Sanmaur est Weimotaching.

Pour y arriver, en partant de Montréal, il faut douze heures de train. Au petit matin, après avoir passé La Tuque, la Trenche, Windigo, après dix heures de nuit, de lacs, d'arbres et de brume, le sommeil cadencé par le clan-clan des rails, Sanmaur surgit comme une surprise dans un coude de la rivière.

C'est ici le centre du pays où plus rien n'existe. Le temps ne finit plus, la forêt non plus. Il y aussi les lacs qui s'enchaînent les uns aux autres, les marais qui glissent lentement, suintent vers les rivières et protègent le pays. Quelques Indiens s'y retrouvent, quelques solitaires s'y perdent. C'est un pays où l'on arrive pour, si possible, en repartir.

C'est le centre du réseau régulateur des eaux. On tente ici de calmer et de policer, dès ses premières furies, la rivière qui descend jusqu'à Shawinigan en cascades et en tourbillons. Les barrages A, B et C retiennent les eaux et contiennent ces mers venteuses que sont les lacs Châteauvert, Manouane et Kempt, sans oublier l'océan d'eau douce qu'est le Réservoir Gouin. Une fois les barrages construits, avant de hausser le niveau des eaux pour noyer des moitiés de pays, il faut couper la forêt. Les troncs ne doivent pas partir à la dérive, danser dans les rapides, pour aller s'emboutir dans les turbines des centrales. Il faut donc circonscrire les surfaces à dénuder, couper les arbres, récupérer les billots utilisables et brûler ce qui reste. On amoncelle les déchets de branches et de bois en d'énormes tas auxquels on met le feu à l'automne et les nuits rougeoient de ces brasiers que les eaux qui montent éteignent les uns après les autres.

Avant de couper et de brûler, il faut tracer le contour du pays à détruire. C'est le travail des étudiants en génie qu'on fait monter là, armés de théodolites et de niveaux. Ils tracent les lignes, et les bûcherons, armés de scies mécaniques les suivent. Du matin au soir, le paysage vibre du ronflement des moteurs et de la chute des grands arbres.

Les arpenteurs travaillent du petit jour à la nuit tombante et quand ils s'arrêtent pour manger le soir au campement, on n'arrive pas à les rassasier. Ils arrivent gringalets et pâles au printemps et, à l'automne, retournent à l'université moustachus, poilus, hâlés, ayant doublé de volume. Ils mangent et travaillent. Pour se reposer du théodolite et de la chaîne d'arpentage, ils se mettent à la hache et à la sciotte et les arbres tombent. Il n'y a rien d'autre à faire là que manger et bûcher.

Parfois, des Indiens surviennent. Une famille par canot. La femme pagaie à l'avant, l'homme avironne à l'arrière. Les enfants au milieu sont sages et muets.

Ils s'approchent, ils accostent. On les invite à passer à table. Ils s'assoient et mangent sans un mot puis ils repartent, sans un mot. Chaque fois qu'ils surviennent ainsi, on les invite à s'asseoir et à manger. C'est le rituel; la moindre des politesses; après tout, c'est leur pays qu'on détruit.

Ils sont taciturnes et dignes.

Fatalistes. Ils ne protestent même pas.

Les femmes portent un curieux béret de feutre rouge, hérissé d'une queue de cerise en plein centre. Elle portent le béret plat sur la tête, comme une assiette… «Comme une bouse de vache!» corrigent les bûcherons, dédaigneux. Ils n'aiment pas les Indiens. Ils ne regardent même pas les Indiennes.

Les squaws ne sont pas attirantes. Elles sont obèses et difformes dans leurs chandails de grosse laine noire. Elles portent toutes des jupes écossaises au tartan identique, des bas de coton brun et de grosses bottines qui leur montent à la cheville.

Qui donc ose encore fabriquer ces chaussures des temps révolus?

Les Indiennes sont usées par les portages et les expéditions qui n'en finissent plus. Elles sont fanées, encombrées d'enfants, eux, les plus beaux du monde; les enfants du

Seigneur Dieu. Elles sont bouffies par la malnutrition, variqueuses, souvent tuberculeuses. À vingt ans, elles ont l'apparence de sexagénaires muettes et sombres.

On ne touche pas à ces femmes-là; on les plaint. Elles sont les mères des débuts lointains, les malheureuses de l'âge de la pierre.

Il y en a d'autres qu'on regarde. Il y en a d'autres qui sont toutes là!

La femme de l'ingénieur.

La maudite!

Il a osé.

Il est monté ici avec sa femme!

On ne devrait pas permettre cela, c'est trop risqué. Quand les hommes reviennent du travail, le soir, fourbus, crottés, ahuris de fatigue, elle est là, qui lave ses petites culottes, au bout du quai.

Le matin, ils partent vers six heures, pagaient une heure et demie avant de parvenir au portage; rendus là, ils virent les canots sur la grève, prennent la piste et, après une demi-heure de marche, arrivent au point qu'ils ont quitté la veille.

Les haches commencent alors à cogner, les scies à crier et les arbres à tomber. Le soir, il faut revenir, marcher à nouveau, puis, tirer les embarcations, pagayer à nouveau et, quand ils arrivent au bout du lac elle est encore là, qui lave ses petites culottes sur le bout du quai!

La nuit, les têtes rêvent que les mains se transforment en petites culottes et en soutiens-gorge et se mettent à contenir les seins et les petites fesses de Monique. On ne pense bientôt plus qu'à elle et à eux... et cette manie qu'elle a de toujours tout acheter trop petit, de telle sorte que tout déborde et cherche à s'enfuir.

Les têtes, chacune individuellement et toutes collecti-vement, rêvent qu'elles mettent les mains sur les genoux de Monique et que, généreuse, elle se laisse faire, sou-riante, puis, les mains repartent, remontent, tournent, s'installent, redescendent…

Animaux obsédés!

En plus d'être obsédant, c'est fatigant. Le sommeil vient mal, quand on la sait à vingt pas de soi dans la tente d'à côté, avec son mari l'ingénieur. Ils ne font pas de bruit. Ils sont discrets dans leur indécence. Quand la lumière de la tente s'éteint, on a beau écouter, on n'entend bientôt rien, rien d'autre que le ronflement du mari.

Il y en a trois ou quatre, déjà, qui sont partis. Avant de planter un fer de hache dans le front du mari, il vaut mieux s'en aller. Ce sont des fils de riches qui sont partis; ils travaillent pour gagner leur argent de poche. Quand vien-dra l'automne, ils n'auront pas de soucis; les parents paie-ront les frais de scolarité. Les autres serrent les dents et ferment les yeux.

Puis, ce fut le tour du cuisinier aussi de sauter par-dessus bord. C'est plus grave parce que, maintenant, c'est son aide qui fait la cuisine et il n'est pas doué. Il est tout juste bon à faire la vaisselle, à condition qu'on ne lui demande pas de l'essuyer. Un bon matin, le cuistot s'est emparé du poste de radio et s'est fait venir un avion. Le soir, un Cessna a tournoyé, puis s'est posé et le cuisinier s'est envolé.

Deux jours plus tard, il est revenu, hilare, en avion toujours, avec deux compagnes qui en avaient beaucoup plus à montrer que Monique et qui en montraient beaucoup plus. L'une, mettant le pied sur le ponton est tombée à l'eau. En se relevant, elle a utilisé un vocabulaire qui l'a instantanément rendue sympatique; elle connaît très bien la langue du pays. Son amie, tordue de rire et instable sur ses talons, faillit tomber elle aussi.

«Salut les gars! crie le coq en sortant de la carlingue. Je viens chercher mon ours!»

C'est vrai, il a oublié son ours. C'est un ourson acquis d'un Indien. Il est là, attaché à un arbre par un long fil de fer. «Je suis venu le chercher! Je le ramène à La Tuque.»

Le pilote n'aime pas trop l'idée de revenir avec un ours dans la carlingue.

— Fait mieux de se tenir tranquille ton ours… sans ça, c'est du vol plané que je lui ferai faire.

— T'inquiète pas, je vas le saouler. Il sera comme moi quand j'ai bu; il dormira.

Les deux starlettes y vont de leurs commentaires.

— Je n'ai jamais couché avec un ours, toi, Linda?… Un vrai ours, je veux dire. Il y a ours et ours, mais un vrai ours, je n'ai jamais couché avec ça… faudrait que j'essaie ça, un jour!

— On fera ça à trois, Rita, toi d'un côté, moi de l'autre et l'ours au milieu!

Elle riaient tant toutes les deux qu'elles faillirent à nouveau tomber à l'eau. Et pourquoi pas? C'est si bon se baigner. Elles se laissent donc choir par en arrière, le derrière par en avant, en talons hauts et robe soleil. «Envoie ton ours ici, coq, on voudrait se baigner avec un ours!»

Elles batifolent dans l'eau.

Monique désapprouve complètement et son conjoint ingénieur aussi, mais il est prudent de leur part de ne pas intervenir. Une seule étincelle ferait flamber la forêt tout entière.

— Le campement ne sera plus jamais le même, dit Monique à son mari.

— Non, en effet!

Et voilà que Linda décide de faire sécher ses vêtements, donc, préalablement, de les retirer. «Sors pas de l'eau! Sors pas de l'eau, j'arrive! C'est moi l'ours…!»

C'est Monet, un des étudiants, qui intervient. «Viens, mon ours, viens te baigner avec Linda.»

Le pilote s'énerve.

— Faut partir… dépêchez-vous, le soir approche, on est loin, cessez de vous amuser.

— Mon noir, dit Linda au pilote, apprends que quand je m'amuse, il ne faut pas essayer de m'arrêter. Quand Linda s'amuse, il faut que ça dure.

Il n'y a rien à faire contre la volonté de Linda. Le pilote a donc cessé de résister et comme il est lui aussi un jeune homme aimant la vie, il a sauté à l'eau et le coq et l'ours ont suivi, bien malgré lui, celui-là, empêtré qu'il est dans le sac de jute dont seule sa tête émerge.

On a bien ri.

Puis, tout le monde est sorti de l'eau. Les dames sont entrées dans une tente pour se dévêtir et se changer. Elles ont fermé la porte, par pudeur. Quand elles sont ressorties, déguisées en hommes des bois, tout le monde a bien ri à nouveau.

Puis, on a mangé et ri encore.

Enfin l'avion est reparti avec, en plus de son chargement initial, les deux ours: l'ourson et Monet. Les autres aussi seraient bien montés dans l'avion et les arbres et les pierres aussi. Tout le pays se serait envolé avec Linda s'il y avait eu de la place.

L'hydravion, avec sa surcharge, lève comme une oie gavée. Les pins, au bout du lac, le sentent passer. L'avion bat des ailes, un peu, tout juste ce qu'il faut pour arriver à s'élever et dépasser la crête des collines. Puis, le moteur se met à vrombir régulièrement et, comme si un courant d'air ascendant prenait l'avion en charge, on le voit s'élever, s'éloigner et bientôt disparaître.

«Venez nous voir à La Tuque! Demandez Linda. Tout le monde me connaît. Je vous attends. C'est promis?» Quand elle a dit ça, c'est tout juste si les quinze hommes, sur le bord de la grève, ne se sont pas mis à battre des ailes pour tenter de s'envoler.

Monique et son mari ne sont pas ressortis de leur tente. Personne ne dormait. Il y en eut qui se rendirent derrière la grande tente fendre du bois de cuisine pour s'exténuer.

Le lendemain, Jaouen n'en pouvait plus; il se saoula et se perdit. C'est un vieux breton taciturne qui parle tout seul en marmottant des mots dans sa langue. La vie est trop dure pour lui ici et, hier, vraiment, ça dépassait tout, alors, il s'est rendu à sa cachette et a vidé son quarante onces, du mauvais alcool acheté au débit clandestin et qui brouille la vue.

C'est ce qui est arrivé à Jaouen. Il a bu au goulot étendu dans la mousse. Quand il s'est réveillé, il voyait mal, il s'est alors affolé et est tombé dans le marais. Quand on l'a retrouvé, il hurlait comme un lièvre pris au collet.

Ils ont tous fait comme lui; chacun a sorti sa bouteille et s'est mis à boire au goulot. Plus question de travailler.

En fait, plus personne n'est capable de travailler. On s'est soudain mis à détester l'ingénieur et tout ce qui l'entoure et tout ce qu'il dirige. On a la nausée du campement, le dégoût du travail, des courses en canot, du lac, des arbres. C'est le stalag, comme dit Jaouen. Il n'y a pas de barbelés mais des épinettes et des pins qui enserrent tout.

Il faut pourtant en sortir, remonter vers l'air libre, aller prendre une bouffée, inhaler un peu d'oxygène avant de replonger. Il faut s'échapper, quitte ensuite, à revenir aux fers. Où aller? À Sanmaur! L'expédition s'est décidée et organisée en trois minutes. Le temps de s'habiller, de faire son paqueton, de se raser, tout le monde est au quai.

L'ingénieur arrive.

— Où allez-vous?

— À Sanmaur.

Il vaudrait mieux qu'il se tienne coi et discret; on troquerait aisément ce voyage insignifiant contre une raclée, une vraie, qui l'enverrait deux ou trois semaines à l'hôpital. Plus tard, on paierait la note mais la raclée aurait rassasié les nerfs. Il doit percevoir le danger qui le menace. Il est prudent et circonspect. Il ne peut rien si les quinze sautent sur lui. Aurait-il un allié dans la meute? Peut-il compter sur la loyauté de certains? Il cherche à déterminer qui est le meneur. Pourrait-il neutraliser le meneur et ramener l'ordre? Il est comme celui qui tente de voir à travers la brume et la fumée, qui, des mains, tente d'écarter la vapeur ou les nuages de suie, mais ne distingue rien, puis, réalisant son impuissance, recule pas à pas.

Le silence s'installe, immobile et souverain.

On pourrait, dans son bocal, entendre péter le poisson rouge de Monique qui pourtant se retient et se gonfle d'inquiétude, l'œil rond et la nageoire tourmentée.

L'oxygène se fait rare dans le bocal. «Par le Christ, qu'est-ce qu'on fait tous ici?»

Il n'y a pas de meneur; ils sont tous là également affolés et ils partiront quoi qu'il advienne. L'ingénieur ne peut pas les sacquer, appeler les Indiens et lever le camp. À Québec, on ne lui pardonnerait pas cet insuccès; ne pas être capable de venir à bout de quinze étudiants qui ont besoin d'argent! Il faut que la coupe soit terminée avant l'hiver et que le terrain soit déblayé avant que l'eau ne monte. À Québec, on ne lui pardonnerait pas le délai et la saison perdue. Il les laisse partir.

«À lundi!»

Il ne se fait pas d'illusions, ils seront bien là lundi, mais dans quel état! Comme des matous qui auront vagabondé et combattu toute la nuit, l'œil griffé, l'oreille arrachée, le poil sale et le dos croche, mais ils seront là lundi et, mardi matin, ils reprendront la piste, le théodolite sur l'épaule.

«À lundi!»

On dénoue les amarres, les canots glissent. C'est parti.

Il y a d'abord le lac des Roches à traverser dans toute sa longueur. Il se termine par un vaste marais couvert de nénuphars et de lianes d'eau. On pousse les barques à la gaffe jusqu'à la piste du portage. On descend, on dévale la côte en vingt minutes. Au bout du portage attendent les longs canots de lac. Ce sont de larges pirogues ventrues qui portent dix hommes. Par prudence, il faudrait implorer l'Esprit du lac Châteauvert! L'immense étendue d'eau, capricieuse et frissonnante est calme aujourd'hui, mais si le vent du nord qui courbe les pins et fait blanchir l'eau vient à s'élever, il faudra tirer les barques sur l'une des îles qui parsèment le lac et patienter. S'il pleut, on tire le canot sur la rive, on le tourne et on s'installe dessous. L'averse crépite sur la coque et gicle sur la surface de l'eau.

Le lac est calme aujourd'hui, paisible et constant comme le soleil. En une heure à peine, les moteurs poussés au maximum, on le franchit et on arrive au débarcadère qui jouxte le barrage. Des camions partent pour le village. On y monte et on fait le voyage debout dans les boîtes, le front au vent, comme des scouts en promenade, par le Christ!

Des scouts qui vont aux femmes!

Des femmes à Sanmaur! Tu rêves en couleurs; en bleu, blanc, rouge, en technicolor et en trois dimensions! À Sanmaur, il y a des cèdres et des sapins, des cahutes et des cabanes, des *sheds* et des *shacks*, des piquets de clôture et des traverses de chemin de fer, des bidons d'essence, du bois coupé, du bois scié, du bois cordé, du bois brûlé et de la sciure partout, mais il n'y a pas de femmes.

— ... Et les Indiennes?

— Interdit de toucher aux Indiennes. Danger. Quand elles boivent, elles deviennent folles. Il y a risque de partir une guerre tribale ou un feu de forêt avec la gendarmerie royale, les missionnaires, le chef de bande et le chœur des squaws qui interviendront. Touche pas!

Le camion les a déposés en plein milieu de la vingtaine de maisons qui forme le village, devant l'église et le magasin général.

Le village au bout du temps est coupé en deux par la rivière, d'un côté les Blancs et leur curé, de l'autre, les Indiens et le missionnaire. Ils se fréquentent peu et se parlent à peine, même les religieux. Une fois dans leur vie, les Blancs décident de visiter la réserve. Il faut bien y aller au moins une fois. Comme il n'y a rien à voir sauf des tentes entourées de détritus, on n'y retourne jamais. On y va pour vérifier si les Indiens persistent toujours à vivre sous la toile et utilisent comme entrepôts les maisons que le gouvernement leur fait construire.

Les Indiens viennent fréquemment au village pour y acheter des vivres, de l'alcool et des cartouches, vendre leurs paniers d'écorce de bouleau, leurs mocassins et offrir leurs services. Il y en a toujours cinq ou six, disponibles, accroupis et assoupis devant la façade du magasin général et qui attendront là, tant que le soleil chauffera.

Quoi faire ici sauf se laisser chauffer par le soleil, fermer les yeux et écouter son sang tourner. Descendus du camion devant le restaurant, après un coup d'œil sur le village, on entre s'acheter un *coke* qu'on décapsule prestement. On boit à même le goulot, les lèvres serrées. Après le premier *coke*, un second, puis on sort faire une petite marche et on revient dix minutes plus tard, s'acheter une barre de chocolat, puis un hot-dog, puis un hamburger et des frites.

Soudainement, le train arrive. On avait oublié qu'il y avait une gare ici. C'est pourtant la raison de l'existence de ce village. Il faut un train pour se sauver d'ici.

Instantanément, la bande se disloque. Cinq d'entre eux ont décidé de monter sur le train et de se rendre à Parent.

Ils ne reviendront pas. Quand on réussit à partir de Sanmaur, on n'y revient jamais. On réexpédiera leur linge, leurs livres, leurs effets au bureau à Montréal. Les porteurs Indiens les descendront du camp et les remettront au chef de gare.

Ils restent donc six, décidés à venir à bout de l'été et du travail. Il faut être enragé par le besoin d'argent pour, les dents serrées, décider de tenir. Il faut foncer sans rien voir, rien entendre, rien goûter. Parfois, on fera diversion, on changera le mal de place en ne rentrant pas du travail, le soir. Ils coucheront alors à même le sol dans les fougères et le lendemain ils seront plus vite rendus au travail, qui progressera d'autant. Il faut en finir avant l'automne.

Ceux qui restent savent ce qui les attend maintenant que les autres sont partis; double paie pour travail incessant, prime au départ si le contour est complètement démarqué: il le sera. Ils remonteraient sur l'heure au campement, sans perdre un instant, pour se mettre à l'ouvrage. Ils sont soudainement fébriles: partir travailler pour gagner plus mais il n'y a pas de camion pour les ramener.

Quoi faire ici avec tout ce temps immobile?

Il faut de toute façon attendre qu'un camion remonte au barrage. Il n'y en aura pas avant sept heures demain matin. Ce soir, il y a projection de film dans l'entrepôt de la compagnie.

Comment ont-ils réussi à épuiser la journée?

À cinq heures de l'après-midi, une grosse lune pleine a commencé à monter, toute blanche, dans l'immense ciel bleu, face au soleil. La nuit ne viendra jamais.

Ici où rien ne se passe, même la lune et le soleil ne se couchent pas. Personne n'a besoin du repos de la nuit. Il faudrait pourtant arriver à fermer les yeux, mais comment y parvenir sans la fatigue pour vous bercer et avec tout ce *coke* et ces cafés qui vous agitent. Heureusement, pour aider à faire passer la nuit, il y a le cinéma, ce soir vers dix heures, quand la nuit sera finalement tombée.

Les Indiens commencent à arriver pour le spectacle. On en voit maintenant partout. Qui a donné le signal par toute la forêt? Ils arrivent. Il faut les voir traverser la rivière à six par canot. Il en vient d'aval et d'amont. Ils descendent des lacs éloignés et remontent des villages d'en bas. C'est une célébration qui se prépare.

On n'aurait jamais cru qu'il pût y avoir tant d'Indiens. Il doit en venir de Manouane et de Windigo. Tout le Nord du Québec semble s'être donné rendez-vous ici.

Leurs chiens aussi ont commencé à envahir le village. Ils ont suivi les canots et ont traversé le fleuve à la nage. Ils mettent pied à terre dans les aunages, se secouent, puis, partent en bandes de vingt ou trente batifoler un peu partout, harceler les chats et courir les rats. Leurs troupes faméliques et diversifiées errent maintenant partout pendant que leurs maîtres entrent dans l'entrepôt.

«Où sont les autres? Ils ne viennent pas?»

Il y a tout au plus dix Blancs dans le bâtiment, dont le curé, le vicaire et l'agent des Indiens. Les Blancs du village ne viennent pas, ni les bûcherons ni les travailleurs du barrage. Pourtant, ce ne sont sans doute pas les Indiens qui leur font peur; ils vivent ici à l'année et les connaissent bien.

Entrons.

Presque toutes les places sont prises. Les Indiens se sont installés par famille. Ils sont tous là, du grand-père édenté et tremblotant au papoose attaché dans son berceau portatif. Les femmes sont toutes pareillement habillées, avec leurs bérets de feutre plats, leurs jupes à carreaux, leurs chandails de grosse laine. Elles sont assises droites, muettes sur leur chaise, à côté de leurs époux imperturbables et stoïques.

Ils attendent.

Les Indiens attendent toujours. Ils ont l'attente dans le regard. Immobiles et silencieux comme au guet du gibier, ils patientent. L'opérateur du projecteur finira bien par arriver.

Le voilà! Il fait partir la génératrice et l'action commence. Les films sont déjà engagés, tout est prêt. Il fait tirer les rideaux pour obtenir pleine obscurité. Le film commence. On s'habitue mal à l'odeur forte de la salle, une odeur de feux de camps, de bois de cèdre brûlé, de tannin, de cuir, de musc.

Le programme commence par des dessins animés. Les enfants rient aux éclats. Dans la lumière que diffuse le projecteur, on peut voir les squaws esquisser des sourires. Seuls les enfants rient avec abandon.

Vient le second film. Catastrophe!

Qu'a pensé celui qui a choisi les films, il veut nous faire scalper! Depuis cent ans, les guerres indiennes sont terminées au Canada. Depuis deux cents ans, elles sont finies au Québec. Qu'est-ce qu'il veut? Exciter les Cris et les Montagnais? Le sentier de la guerre, la danse du scalp.

Le film choisi est un western violent dans lequel les Indiens laids, sales et hurleurs, attaquent vicieusement d'innocents pionniers. Ils scalpent, torturent les prisonniers et entraînent les femmes en captivité. Qu'est-ce qu'il a pensé? Ce n'est sans doute pas un missionnaire qui a choisi le film. C'est un ignorant du Sud qui a choisi un film standard pour spectateurs de salle paroissiale, avec chevauchées, poussière plein l'écran et batailles où les bons triomphent des méchants.

Les Indiens du film se dirigent vers leur campement avec leurs captives. Surgit la cavalerie américaine, les habits bleus avec leurs casquettes de zouave. Ils chargent. Qu'est-ce qu'ils prennent, les Indiens!

Dans la salle, on entend des voix, puis des murmures. La salle s'échauffe, des hommes se lèvent. Qu'attend l'idiot de service pour arrêter la projection? De plus en plus, la salle s'agite et se met à crier. Sur la toile, les braves tombent en grimaçant.

Vaut mieux partir pendant qu'il est encore temps.

La retraite est coupée, les Indiens s'avancent dans l'allée. Ils hurlent maintenant d'autant plus que, lorsque la nuit est tombée, ils se sont mis à boire en cachette. Ils hurlent d'ivresse. Ils sont tous saouls et sur la toile, la bataille continue.

Les Blancs sont sortis de la salle en sautant par les fenêtres et ont détalé dans la nuit. Au hangar, où ils ont laissé leurs effets, on a accueilli les étudiants en riant et en vociférant. Les Blancs aussi sont saouls.

Aux petites heures du matin, après une nuit de hurlements, ils se sont endormis.

Le lendemain, au réveil, ils ont appris une nouvelle désolante: un très vieil Indien est mort d'excitation juste au moment où ils sautaient par la fenêtre.

La fin du septième jour

Le septième jour, quand Dieu s'est arrêté pour se reposer, on dit qu'il descendît près d'ici dans les montagnes. Il y serait toujours. L'endroit est bien connu, on l'appelle le domaine du Septième Jour.

Monsieur Sauvageau en est officiellement le maître depuis plus de quarante ans en vertu d'un bail du gouvernement. Son père était déjà là, avant lui. Avant eux, il n'y avait probablement que le temps qui fréquentât la région... et, au début du temps, Dieu.

C'est un territoire que les bûcherons n'ont pas encore violé. On y parvient par une piste malaisée à suivre et c'est en jeep qu'on arrive à remonter le chemin raviné par les pluies. On progresse lentement et il faut une heure pour monter jusqu'aux crêtes. Là-haut, au bout du chemin, Dieu le Père lui-même vous attend à la hauteur des nuages. Dieu le Père, c'est Monsieur Sauvageau, il a toujours porté ce surnom qui lui convient si bien. C'est un grand seigneur.

Il ne sait ni lire ni écrire et il peut à peine compter, mais il sait vivre. C'est un vieux forestier, sec, mince et droit malgré ses soixante-seize ans et, quand ses yeux perçants de chasseur s'arrêtent sur les vôtres, ils vous explorent l'âme. Personne ne lui résiste. Devant lui, on se croit obligé de reconnaître ses fautes et les plus malins deviennent candides l'espace d'un week-end. Il est là-haut le seul maître.

Si vous montez au domaine, c'est qu'il vous y a invité. Il est le monarque absolu des lieux. De vous-même, vous lui rendez hommage. Il impose le respect. Par son allure, son autorité et sa grande bonté, il s'est mérité son surnom et le pays est si beau, l'homme si exceptionnel qu'il n'est pas impossible qu'il soit le Père Éternel… et il y en a pour le croire.

Les sept lacs de son domaine constituent un château d'eau hissé au faîte des montagnes. Les nuages frappent les cimes et y déversent leurs eaux qui se ramassent dans des cuvettes, puis en débordent par une profusion de chutes et de cascades.

Les écureuils et les tamias viennent manger dans sa main. Les enfants le suivent avec enchantement dans la forêt dont il leur révèle les mystères. Ils sont ses complices loyaux et ne dévoilent jamais les secrets qu'il leur a révélés.

Tous ne l'aiment pas. Les gens du village l'envient et le détestent parce qu'il surveille bien son royaume et leur en interdit l'accès. C'est son droit et il les connaît bien; s'il n'était pas vigilant, ils viendraient ravager ses forêts et piller ses lacs. On le jalouse; être seul occupant et possesseur d'un aussi vaste territoire, riche en bois et en gibier! Il pourrait partager un peu, accorder quelques contrats de coupe, rien! Pas moyen de piéger un seul castor chez lui… il ne vous laisse même pas tirer un lièvre.

Les gens du village lorgnent depuis toujours vers ses montagnes et veulent s'en emparer, mais il monte la garde.

«Si je ne les repousse pas et ne les éloigne pas, affirme-t-il, ils viendront vider mes lacs et couper mes arbres; ils vendront la peau de mes bêtes pour s'acheter des autos neuves ou passer une saison en Floride. Jamais, je ne les laisserai monter!»

Il a donc continué à louer ses chalets à des clients qu'il choisit et dont il sait qu'ils sauront pêcher et chasser sans épuiser ses lacs et dépeupler ses bois. Il faut aussi, si l'on monte chez lui, accepter de se coucher tôt et ne pas trop abuser de l'alcool. Ce n'est pas non plus un endroit où cacher ses amours. Il se méfie des femmes et de leurs méfaits.

«Un vieux garçon égoïste, un vieux macho des neiges qui doit avoir ses petits vices secrets.»

«Il n'accepte que des Américains qui descendent chez lui en hydravion. Ils n'arrêtent même pas au village acheter des cartouches, des œufs et du lait… Ce pays-là, c'est notre patrimoine, il est temps que les Yankees cessent d'être les seuls à en profiter!»

Les gens du village ont finalement réussi; ils l'ont dépossédé.

Protestant contre leur exclusion des lieux au nom de l'égalité, de la fraternité et du droit absolu du peuple de tout souiller, les gens du village ont manifesté; ils ont agité leurs pancartes et leurs cocardes et se sont approchés en hurlant du territoire sacré.

C'est Gilles Létourneau, le secrétaire-trésorier de la municipalité, qui a organisé les manifestations. Il y eut quelques démonstrations, des reportages et des éditoriaux dans les journaux. Le gouvernement s'est ému et a décidé d'ouvrir le territoire au grand public. Le bail consenti à Dieu le Père sur son paradis ne se renouvellera pas par tacite reconduction; le 23 mai, à trois heures de l'après-midi, on lèvera les barrières et la foule pourra surgir.

Gilles Létourneau peut être fier, il a réussi. Les commerçants du village qui l'ont encouragé, poussé et soutenu exultent. À eux les profits! Ils peuvent maintenant attirer ici les foules du week-end pour leur faire bouffer des hot-dogs, des hamburgers, des frites, du poulet Kentucky, de la limonade et du *coke*. Ils vendront de l'essence et rempliront les chambres de leurs hôtels. Les meutes des villes découvriront bientôt l'existence de ces solitudes giboyeuses qu'elles pourront ravager et saccager jusqu'à l'épuisement.

Pour accélérer l'invasion, la Chambre de commerce du village a lancé le Concours provincial de la plus grosse truite. Les journaux et la radio furent inondés de réclames. On invita une brasserie à commanditer l'événement. On offrit des prix de toutes sortes. Sur les ondes, un animateur bien connu ne cessait de répéter: «La Chambre de commerce des Extrêmes Laurentides vous invite à participer à son Concours de la plus grosse truite. Un extraordinaire territoire de chasse et pêche vient d'être ouvert au grand public. Finis les privilèges exclusifs des bien nantis et des *happy fews*, venez vous sentir chez vous dans votre propre pays! Toute la population est attendue et invitée, il y aura des prix pour les plus belles prises, des prix de présence, des prix de consolation. On tirera au sort des terrains de villégiature… nous vous attendons!»

Suivaient la date, l'heure, le nom du village et le chemin pour s'y rendre.

Les amis de Dieu le Père ont tenté d'intervenir auprès du ministre pour éviter le massacre. Rien n'y fit. La volonté du peuple souverain et tout-puissant devait être respectée et la voracité des vendeurs de hot-dogs devait être satisfaite. Loin de protéger le territoire, le ministre en facilita l'accès. Une semaine avant la fin du bail, des bulldozers ont élargi les routes, ouvert des stationnements et déblayé des aires de campement.

La municipalité s'est mise de la partie et a octroyé tous les permis imaginables. Instantanément, des kiosques à hot-dogs et à boissons gazeuses ont surgi et la bonne odeur des frites parfuma bientôt les sous-bois. Des annonces de *coke* et de *seven-up* sont apparues sur les arbres le long des chemins. C'était parti!

Le conseil de ville dut se réunir d'urgence pour voter un budget spécial; il fallait installer des tentes où la foule pourrait se réfugier en cas de pluie. Au moins trois cents personnes pouvaient y prendre place... trois cents personnes! Ce fut un troupeau de bisons qui arriva tête baissée au village, ravageant tout et faisant lever des nuages de poussière.

Le 23 mai, le grand jour était arrivé, on ouvrit les barrières! Le résultat dépassa toutes les craintes et toutes les espérances. La Sûreté du Québec dut intervenir pour diriger la circulation. On engagea une flotte de bulldozers supplémentaires pour agrandir les stationnements et les campings; il faisait un soleil digne du jour de la Résurrection des corps... et les gens arrivaient et continuaient à arriver.

La bière se vendait et se consommait à la caisse. Bientôt, les canettes vides se mirent à flotter sur la surface des lacs, puis les papiers gras maculés de moutarde. Les embouteillages débutèrent vers dix heures le matin et le flot des véhicules immobilisés pare-choc à pare-choc se mit à refouler. Le village fut rapidement congestionné et toute circulation cessa. «Une vraie constipation!», s'exclamait Flexzo Beaulieu, l'oncle à Maurice, père de Louis, cousin de Pit, celui qui ouache près de la *shed* à Ti-Nez et dont la joie se manifeste toujours de façon scatologique.

On avançait au pas sur la rue Principale. Certains abandonnèrent là, sur la chaleur de l'asphalte, auto, dondon et marmaille et se hâtèrent à pied, le coffre de pêche d'une main, la caisse de bière de l'autre, vers les eaux miraculeuses.

Dès dix heures du matin, le bail n'était pas légalement terminé, mais qu'importe, on pêchait au coude à coude sur les rives du grand lac. On enregistra treize cents concurrents. Multipliez par quatre pour tenir compte des femmes, des enfants, des tantes et des grands-mères. Il ne faut pas non plus oublier les chats, les chiens, les souris, les hamsters et le canari qui participèrent à la fête.

Il y eût bientôt pénurie de saucisses dans les boucheries du village, puis le *coke* et le *seven-up* disparurent des étalages. Rapidement, l'importante réserve de bière fut tarie. La spéculation commença le long de la file d'autos et le prix de la caisse tripla. Les tablettes de chocolat vinrent à disparaître, puis les biscuits, le pain, les boîtes de conserve. À quinze heures, la dernière boîte de mort-au-rat était vendue.

Tout ce qui peut flotter barbote sur l'eau: chaloupes, canots, kayaks, péniches, felouques, pneumatiques. Il ne manque qu'un porte-avion. On ne peut assurer qu'il n'y avait pas de sous-marin; on vit un périscope. Il s'agissait du *snorkel* d'un plongeur qui s'adonnait à la pêche sous-marine, disait-on. Sur un radeau soutenu par des pontons, six heureux buveurs ont monté une table à cartes et jouent au poker tout en surveillant leurs lignes.

Et les transistors! Pas un branché sur le même poste que celui du voisin, tous jouant à pleine force au risque de faire éclater les membranes des haut-parleurs. Les marmottes, les suisses et les écureuils sont devenus fous.

Une cane majestueuse et son obéissante couvée d'une dizaine de canetons s'avancent hors des herbes. Immédiatement, d'audacieux rameurs se lancent à leur poursuite. Une dizaine de barques luttent de vitesse, à la proue de chacune, une vigie, la puise haut levée au bout du bras comme un harponneur de baleine. Ils souquent dur et c'est à qui happera un caneton au passage. La course est rude. Certaines embarcations abandonnent, mais un valeureux équipage tient bon. Bientôt, ça y est, on en a un et c'est le triomphe! On décapsule une bouteille, on se l'enfonce dans le siphon pour fêter la victoire et on ramène au quai le volatile apeuré qui, en arrivant, crève d'une crise cardiaque.

Il fait chaud. Un des rameurs retire sa chemise et son pantalon pour se jeter à l'eau. Instantanément, la surface du lac bouillonne de nageurs. Une bouteille de bière à la main, on se jette à l'eau à la douzaine. C'est la frénésie. La bouteille aspirée, on la rejette vers la rive où elle éclate sur une pierre. C'est la fête.

Partout, on pisse dans le vent. Les hommes profitent du moindre buisson pour entrouvrir le pantalon. Les femmes, plus incommodées, se réfugient entre les automobiles pour assurer un minimum de privauté à leurs accroupissements, puis, d'un coup sec de branchette, repoussent tout ce qui peut paraître sous la voiture. Arrive la procession des fourmis… et les enfants qui hurlent et qu'on torche en plein air et le papier qui vole au vent. Il flotte dans l'air une affriolante odeur de panier à pique-nique. Les abeilles et les guêpes, étourdies de tentations foncent à l'improviste, descendent en piqué et sèment la panique.

La panique!

Quand Marko, le petit ourson de deux cent cinquante kilos que Monsieur Sauvageau nourrit tendrement, capta un effluve qui l'entraîna directement au campement, l'atmosphère était mûre pour une crise. Il débusqua soudainement en plein milieu de la kermesse. Il n'était pas question qu'il ne participe pas à l'orgie et, presto, il s'empare du premier panier qu'il rencontre, puis il passe à un second. Placide et glouton, il met en déroute hurlante une meute de vacanciers affamés et se met à manger à gauche et à droite.

Un matamore se présente, gros, gras, tatoué et moustachu, rendu brave par l'abondance de bière qu'il a consommée, il commence à lancer des pierres sur l'ours. D'autres se joignent à lui. Bientôt, ils sont une vingtaine à lapider Marko. L'ours sent le danger et décampe. La foule se met à le pourchasser. Affolé par les cris et par les pierres, il se sauve vers la gauche, trouve sa retraite coupée, tourne à droite, on lui barre la route, éperdu, il grimpe dans un merisier. Bientôt, une foule compacte de trois ou quatre cents badauds héroïques entoure l'arbre. On se met à vendre des billets avec prix de présence, tirage au sort. Les revendeurs de *coke* et de *pepsi* arrivent, puis les bulldozers qui agrandissent le cercle autour de l'arbre.

Ce fut un succès.

En moins de deux jours, ils ont capturé une dizaine de milliers de truites sur l'ensemble du territoire. Les statistiques officielles tenues par le secrétaire municipal établissent qu'il y eut deux noyades, trois embolies cérébrales, une douzaine de fractures, cinq échauffourées et deux batailles rangées entre clans adverses, une trentaine d'indigestions aiguës, trois débuts de feux de forêt, cinq crises d'éthylisme dont une dégénéra en délirium tremens, les autres s'achevant dans un assoupissement réparateur à même notre Mère la Terre.

Le soir venu, des feux paisibles s'allumèrent et un chœur d'esthètes entonna le choral de Mathusalem.

«Mathusalem, à l'opéra (bis)

Était bandé comme un verrat (bis)», tout le monde connaît les strophes qui suivent...

La lune rousse se leva et l'écho des montagnes répercuta au loin les chants de gloire et de triomphe.

Au village, la panique gagna la caravane des pêcheurs qui retournait coucher à Montréal; plus d'essence dans les pompes. Bientôt, il n'y eut plus de chambres à louer à l'hôtel, au motel ou chez l'habitant. La cohue était totale. Elle serait devenue un désastre final si, au soleil délirant, tenu toute la journée comme une étincelante patène d'or en plein milieu d'un ciel sans nuage couleur bleu Québec, n'avait succédé une nuit d'avant le péché originel. Toutes les étoiles étaient là, en fête, elles aussi. Il n'y avait rien à manger; on fit donc frire le produit de sa pêche, réchauds à propane installés sur la chaussée. Les camions citernes apportant le carburant ne devraient pas tarder à arriver. Gilles, l'abominable, le secrétaire-trésorier, l'instigateur du désordre, exultait. Un triomphe.

Plus d'essence dans les réservoirs, plus de viande chez le boucher, plus de capote anglaise chez l'apothicaire, seul le curé peut encore distribuer quelques absolutions.

Te Deum.

Le village est sur la carte du Québec, du pays, du monde! Maintenant, partout on nous connaît.

Cette nuit-là, l'image de Dieu le Père hanta le sommeil des invités qu'il avait reçus chez lui. Il ressemblait à l'Oncle Sam des affiches de recrutement de la guerre de 14. Les sourcils épais et froncés, le doigt accusateur, il interpelle: «Qu'avez-vous laissé faire de ces lacs où vous étiez chez vous, de ces bêtes que vous deviez protéger... plus un poisson dans l'eau, les martins-pêcheurs, les canards et les hérons sont en fuite, les ours en déroute, les chevreuils courent encore et les mouffettes sont taries... des irresponsables ont partout allumé des feux qu'on n'arrive pas à éteindre...»

Les lieux sont maintenant déserts. On attend que le temps fasse son grand nettoyage, que les papiers pourrissent, que les boîtes de conserve se corrodent, s'oxydent et se désagrègent. Le foin repoussera bientôt dans les stationnements. Plus personne ne monte là, c'est le désert souillé. Quelques mois plus tard, des vandales sont montés là-haut, se sont saoulés et ont incendié les chalets. Le Père Sauvageau n'était pas là pour empêcher le pillage; le jour de la profanation, il est disparu. Il a pris sous son bras ses incantations, ses charmes et ses maléfices et est remonté vers le nord, suivant ses bêtes. On ne l'a plus revu.

Les chemins secrets ont cessé d'être entretenus et sont devenus impraticables. Puis, on a donné la forêt en coupe et, six mois plus tard, les montagnes étaient rasées de près. L'érosion a commencé à mordre et des torrents de boue ont raviné les pentes des collines et les berges des lacs qui sont devenus des étangs de vase. C'est la désolation.

Gilles exulte et avec lui les commerçants du village. La preuve est faite, on peut attirer ici les foules dépensières et rentables. Il a convaincu le conseil municipal de construire des viviers. On y élèvera trente mille truitelles qu'on jettera dans le lac au Marsouin une semaine avant le prochain festival. Elles n'y survivront pas trois jours, l'eau y est trop sale et trop chaude, elles mourront asphyxiées, le ventre blanc en l'air, qu'importe, on installera des compresseurs pour oxygéner l'eau et on les ranimera. La publicité est déjà amorcée pour l'an prochain. Le Carnaval de la grosse truite durera alors dix jours et comportera des courses cyclistes, des olympiades de la bière, des épreuves d'hommes forts, l'élection de Miss Truitelle et d'innombrables concours de mangeaille, dégustations d'infections diverses: Hot-Dogs, Chips, Hamburgers, Pizzas, Michigan Red Hots, Poulets B. B. Q. crevés de peur, suivis de danses dans les rues pour faire descendre le tout.

C'est la victoire ultime. L'apothéose, la partouze terminale. Dieu le Père est remonté plus haut dans les montagnes, complètement perdu dans les nuages, au milieu des nuées irisées dans les rayons du soleil, ébloui par sa propre lumière, il espère bien ne rien voir.

Avant de partir, il m'avait dit: «Nous nous reverrons dans cent ans, quand les hommes seront repartis, que la forêt aura repoussé, que les animaux seront revenus!»

Dans cent ans!

À ce stade-là, je serai probablement en vacances au Pays des Chasses Bienheureuses. Il se peut que j'y rencontre Dieu le Père.

La tanière

Pourquoi donc m'a-t-il demandé de venir chasser avec lui si je l'incommode tant? Il tolère à peine ma présence et pourtant, il insiste pour que je le suive partout. Il tient peut-être à ce que je l'accompagne parce qu'il n'aime pas être seul dans le bois.

Quand il m'a invité, il y a quinze jours, il a tenu à préciser que l'endroit où nous allions n'était pas facile d'accès. «C'est une forêt touffue. Il faut se diriger à la boussole parce qu'il n'y a pas de sentier. On fonce à travers bois vers un ruisseau qu'il faut remonter jusqu'à un marécage. Rendu là, le camp de chasse n'est pas loin, mais il est bien caché.»

J'étais très curieux de connaître son repaire. Il est rare qu'un braconnier partage avec vous ses secrets. Je ne me suis pas fait prier, j'ai accepté de le suivre et j'ai pris congé du bureau.

Je suis donc monté dans le bois avec lui. Nous avons pris sa jeep et sommes partis tôt le matin. Plus nous approchions, plus il devenait nerveux et déplaisant comme s'il regrettait déjà de m'avoir invité. Je n'arrivais pas à comprendre, puis j'ai remarqué ses excès de précautions et tous les détours qu'il prenait. J'ai compris; il ne voulait pas que je puisse revenir chasser seul chez lui. Il ne fallait pas que je puisse retrouver le chemin.

Il s'inquiète pour rien; je n'arriverai jamais à me sentir chez moi dans sa forêt. Jamais je ne pourrai me persuader que le pays m'appartient et ce sentiment m'est essentiel. Pour avoir cette conviction, il faut que je sois le premier arrivé et le seul à fréquenter les lieux. Le pays doit m'appartenir sans partage. Mais il ne me croit pas et me craint. Il n'a pas le geste ample et généreux d'un ami confiant. C'est insultant. Je connais les règles et je sais les respecter. On ne viole pas le territoire d'un autre, surtout pas celui d'un ami qui vous y a invité. Le pays est à lui, mais s'il le pouvait, il l'enfouirait pour mieux le cacher.

Personne d'autre que lui ne vient ici. Il gare son automobile le long d'un chemin forestier qui ne mène nulle part. Quand on descend de la jeep, il faut traverser la haie de framboisiers sauvages et de ronces qui borde la route. Les épines et les gracchias s'accrochent à vos vêtements et vous sortez de là pleins d'éraflures. Jamais il ne stationne au même endroit et il évite de franchir la haie deux fois au même endroit; une fois passé, il remonte précautionneusement les tiges et tâche d'effacer toute trace de son passage.

Après ce premier obstacle, il faut s'engager dans une jungle d'aunes emmêlées qui poussent sur un terrain détrempé. On cale à chaque pas dans la boue, puis on court de motte en motte pour arriver à une cédrière où la fermeté du sol est plus assurée. Passé le bois de cèdres, on parvient au ruisseau qu'on remonte jusqu'au marécage. Il faut savoir traverser le marais en empruntant de vieilles chaussées de castor abandonnées depuis longtemps, puis on arrive à un petit bois laid. C'est là. C'est une forêt de cerisiers noirs, de robiniers et de bouleaux maigrelets. Il y pousse aussi quelques érables malingres et, çà et là, de rares sapins. Rien de beau, rien d'agréable. On trébuche à chaque pas sur des racines traîtresses qui sortent du sol.

Il n'a rien à défendre ici. C'est un pays dont personne ne voudra jamais. Qui donc pourrait être intéressé à se traîner jusqu'ici.

On arrive. «C'est ici», dit-il. Il me regarde, inquiet.

— Tu me jures de ne jamais révéler ma cachette.

— Juré! Cesse de t'en faire. Jamais, je ne reviendrai, jamais je ne montrerai ta cachette.

Il demeure soupçonneux. Il ouvre la porte de la masure. C'est une cabane en planches de cèdre d'un gris délavé moucheté de noir qu'on distingue à peine dans ce bois sombre et sale. Il n'y a rien de gai ici, mais c'est sûrement le paradis du lièvre et de la perdrix. Il doit aussi y avoir quelques chevreuils craintifs.

Il est méfiant. Il me guette constamment et je ne peux rien faire par moi-même; je dois le suivre partout et agir comme lui. Il ne me laisse toucher à rien.

Il ouvre la porte et dépose nos paquetons sur un des lits. J'entre, je me baisse et j'ouvre la porte du poêle pour y tasser du papier et du bois sec et allumer une attisée.

— Attends au soir, dit-il.

— Pourquoi? C'est humide ici, il faut chauffer la pièce, il va geler.

— Je ne fais jamais de feu pendant la journée.

— Pourquoi?

— La fumée risque d'attirer du monde.

— Qui peut venir ici?

— Des chasseurs comme toi et comme moi, et ce sont eux que je crains. Viens, on fera du feu en revenant quand la nuit sera tombée. Maintenant, sortons, on a le temps de tendre une vingtaine de collets.

Il m'entraîne vers un bois de sapin éloigné où il n'a pas encore chassé cette année. En s'y rendant, on fait trois perdrix. On a tendu les collets. La grande journée, c'est demain. On est revenu à la course dans la grisaille du soir qui tombe.

Il a lui-même allumé les fanaux et mis du feu dans le poêle. Il prépare le souper seul. Je ne suis pas autorisé à poser un seul geste. «Tu es mon invité; repose-toi.»

Un vieux garçon méticuleux. Il a sa méthode à lui seul pour allumer le poêle; la méthode des boules de feu, comme il l'appelle, comme aussi sa façon spéciale de faire les œufs et de faire friser le bacon. Ses gestes sont précis, comme s'il les avait mis au point une fois pour toutes. Il n'est pas question de les modifier ou de les améliorer; on ne peut pas faire mieux!

Après le souper, il lave la vaisselle, puis bat une omelette pour le lendemain. «Si on veut frapper un chevreuil, il faut se lever tôt.»

Nous nous sommes levés à cinq heures et au lever du soleil, nous sommes partis. En nous rendant au poste de guet, nous avons trouvé quatre lièvres pris dans les collets. Six ou sept perdrix se sont levées, effarouchées, et se sont envolées bruyamment pour se jeter plus loin dans les feuilles sèches. Nous n'avons pas tiré; il n'est pas question de tirer sur des perdrix quand on chasse le chevreuil; au premier coup de feu, la harde décampera et courra jusqu'au coucher du soleil.

Il m'a installé derrière un rocher qui domine une baissière et je suis resté là jusqu'à midi. Lui est allé s'embusquer plus loin. Je n'ai rien vu de la journée, lui non plus. À midi, nous avons mangé un peu, puis nous avons changé de place. La journée s'est passée sans le moindre chevreuil. Discrètement, à la fin de l'après-midi, je me suis levé et suis descendu dans la baissière. Il n'y avait là aucune trace. Le chevreuil ne passe pas ici, il n'y a rien ici, rien que des écureuils et il le sait, et c'est volontairement qu'il m'a fait perdre mon temps.

En revenant au camp, le soir, j'ai tiré trois perdrix et lui deux. Nous n'étions pas bredouilles. Nous ne sommes jamais bredouilles.

— Fameux, hein! dit-il.

— Passable!

— Passable? Si on avait voulu, on aurait une vingtaine de lièvres et une douzaine de perdrix, mais on en a assez, il ne faut pas détruire le territoire, il faut en laisser pour la prochaine fois.

Le gueux, il ménage son territoire. Quand il décide que son invité a suffisamment de gibier, il l'entraîne dans un coin où il n'y a rien sous prétexte de chasser le chevreuil. Je lui demande:

— Montre-moi ton sac.

— Qu'est-ce que tu veux?

— Je veux voir.

Il y a deux romans policiers dans sa gibecière. Il a lu toute la journée, puis il a sans doute dormi pendant que je faisais inutilement le guet.

— Pourquoi ne pas m'avoir dit que tu ne voulais pas chasser aujourd'hui. Il n'y a pas de gibier où tu m'as emmené. Tu m'as installé pour me donner l'illusion de chasser; tu trouves que j'ai suffisamment de pièces, c'est pourquoi tu m'emmènes à la chasse au chevreuil sachant bien qu'il n'y en a pas.

— Il y a plein de chevreuil ici.

— Il n'y a pas une piste dans la baissière.

— Viens, je vais t'en montrer.

Il m'entraîne derrière lui et on s'enfonce à nouveau dans le bois. Nous ne sommes pas allés loin; il m'a fait grimper sur une colline couverte d'érables et là, il y avait du chevreuil, c'était indiscutable, c'était couvert de fumier et de pistes.

— Pourquoi ne pas m'avoir emmené ici?

— Je ne chasse jamais ici, je ne dérange pas la harde chez elle. Je ne veux pas qu'ils décampent et quittent le pays.

— Sauf le dernier jour, quand tu viens seul te tirer un mâle à panache!

— Possible...

— Alors n'invite pas les gens chez toi si tu ne veux pas qu'ils chassent.

— De quoi te plains-tu? protesta-t-il. Tu n'auras jamais assez de gibier, il t'en faut toujours plus. Regarde comme tu es chargé, tu plies en deux et il te faudrait un cerf en plus! Tu es safre et glouton, apprends à te contraindre.

Il avait peut-être raison, mais alors pourquoi m'avoir invité pour trois jours si on ne doit chasser qu'une demi-journée?

— Écoute, lui ai-je dit, moi, je retourne à Montréal et demain, je rentre au bureau. Je ne peux pas prendre trois jours à tout propos. Quand je m'absente pour la chasse, et je peux rarement le faire, il faut que ça compte... Si tu veux rationner tes invités, préviens-les ou alors ne monte ici qu'avec des gens qui ne savent pas tirer et alors, ils ne tueront pas tes bêtes. De toute façon, ne me demande jamais plus de t'accompagner.

— Tu n'es pas juste, tu vas descendre une ou deux autres perdrix ce soir et tu te plains! Et il y a encore demain matin. Tu n'es pas correct avec moi.

Il m'énerve. Chaque fois que je lève mon fusil, il réagit comme si je m'apprêtais à le voler. Au lieu de figer, de se tenir tranquille et immobile, il se met à bouger, à faire du bruit et fait détaler le gibier.

Je me suis mis à le detester. Il est mesquin et avare, couard; il a peur dans le bois, et c'est pour cette raison qu'il ne vient jamais seul ici. Je le lui ai fait avouer; il a peur de se blesser et de rester sans secours, peur de se perdre, peur de se faire attaquer. C'est un faux chasseur, du genre de ceux qui s'invitent un garde du corps bénévole pour se sécuriser. Il ne ramasse même pas son gibier lui-même, c'est moi qui dois dénouer les collets et en retirer les lièvres alors que je n'ai même pas eu le droit de tendre un lacet. Il a dédain du lièvre, me dit-il.

Je le regarde: dédain! Un chasseur, avoir dédain de son gibier! J'y pense; la tularémie, il craint la tularémie épidémique, cette fièvre cyclique qui extermine le lièvre à tous les six ans. La contagion se propage pendant les hautes années du cycle. Il ne peut pas y avoir plus de lièvres qu'il n'y en a ici, la maladie guette donc, elle peut se répandre cet automne ou cet hiver et l'an prochain il n'y aura pas un levraut... alors, pourquoi s'empêcher d'en prendre, pourquoi se limiter, la maladie les décimera et ils disparaîtront de toute façon pour revenir plus tard progressivement repeupler la région.

Craignant la tularémie, il ne ramasse pas lui-même les pièces. Il me demandera sans doute de les dépiauter et de les vider. Il ne leur touchera qu'après en avoir inspecté le foie. Je dois donc écorcher les lièvres pendant qu'il prépare le souper. Je travaille avec mes gants et je leur ouvre le ventre; ils sont tous sains, la maladie n'est pas là. Il me dégoûte.

Demain, je partirai au soleil levant. Qu'il m'accompagne ou non, je partirai. Je foncerai à travers le bois, je retrouverai la route, une voiture finira bien par passer, sinon c'est lui qui finira par arriver, parce qu'il me suivra.

Je me rappellerai longtemps de cette nuit-là. La lumière éteinte, je m'efforçais de m'endormir. Le sommeil pourtant ne venait pas. Soudain, un cri a terrifié la nuit.

Un cri abominable, et qui se prolongeait, un horrible cri d'être humain qu'on égorge ou qu'on éventre à vif, un hurlement d'épouvante. J'ai sauté hors du lit, j'ai saisi mon fusil et ma lampe à piles. «Quelle horreur… Quelqu'un se fait tuer près d'ici… Si on nous découvre, il vaut mieux nous préparer à nous défendre.» Il me fixait. Il ne semblait pas avoir peur.

— Qu'est-ce que cette abomination? lui ai-je demandé.

— Si tu sors dehors avec ta lampe, tu attireras l'attention, m'a-t-il fait remarquer sans se donner la peine de répondre à ma question.

Le hurlement continuait toujours à horrifier la forêt. Toutes les bêtes ont dû se réveiller, inquiètes et affolées, cherchant le salut et la sécurité dans l'immobilité. Et la longue plainte déchirante persistait.

Je suis sorti, l'arme au poing, sans ouvrir la lumière. Je pensais pouvoir distinguer une lueur dénonçant une présence… rien, rien que ce cri qui ne cessait. Il arrêta enfin et je retournai à la hutte, chanceux de me retrouver dans ce fouillis de mauvais arbres, mais il y avait la lune, pleine et froide et la nuit était bleue.

— Je n'ai rien vu.

— On ira voir demain.

Je n'ai pas réussi à dormir et lui ronflait à pleins tuyaux. Sitôt le jour levé, je suis sorti, mon fusil chargé à la main. Je me dirigeais vers où m'avaient semblé venir les cris. Je m'attendais à tout. J'ai vite trouvé.

Il faisait à peine jour et il avait gelé toute la nuit. C'était froid, gris et humide parmi les arbres noirs. Je suis entré dans les buissons et la source de l'horreur était là. L'inestimable bâtard avait tendu cinq collets à trois cents pieds de la hutte et trois lièvres s'y étaient pris. Il y en avait un qui bougeait encore. C'est leurs hurlements de bêtes qu'on étrangle qu'on avait entendus toute la nuit.

Pourquoi a-t-il fait ça? Pour me terrifier, me faire peur, de telle sorte que je ne remette pas les pieds ici et que je ne sois pas tenté de revenir?

«À son tour d'avoir peur», me suis-je dit. Je suis retourné à la hutte. Sans bruit, j'ai pris mon sac et je suis parti seul à travers le bois. Qu'il se réveille seul, qu'il me cherche, puis qu'il sorte seul du bois. Il craindra de se perdre, craindra de se blesser, de tomber dans un trou, d'être attaqué par les bêtes ou par les hommes, craindra de ne pas retrouver son chemin. Seul, il a peur, cède à la panique et l'épouvante le guette. Qu'il crève!

Relaps

Paule, la première, en eut l'idée. Elle téléphona donc à Marcelle et lui suggéra l'expédition:

— Depuis une semaine qu'ils sont dans les bois, nos hommes, comme je les connais, doivent se nourrir comme je le pense: des œufs et du bacon, du bacon et des œufs... des œufs... des œufs. Si on les laisse aller, ils vont muter en poussins! Il est temps qu'on aille les voir, on doit leur manquer!

— ...

— On achète des steaks, quelques bonnes bouteilles de vin, un pot de petites olives farcies, des champignons, des petites choses... On arrive de bonne heure, pendant qu'ils sont encore à la chasse, on coupe du céleri, on prépare des canapés, des huîtres fumées sur des toasts, du saumon mariné, des escargots... un festin. Quand ils arriveront, exténués, leur verre de scotch sera prêt et leurs femmes seront là! On part?

— On part!

Deux amies mariées à deux copains, Paule et Gérard, Marcelle et Henri. Deux couples: l'un, Paule et Gérard, n'a pas d'enfant, l'autre en a deux.

Marcelle n'a pas de problème avec ses jeunes; ils iront coucher chez les grands-parents qui ne demandent pas mieux. Ils y ont leur lit et leurs jouets. Ils se feront dorloter une fois de plus. Elles ont trente-deux ans, toutes les deux, l'âge de la splendeur qui, à partir de ce moment, dure indéfiniment. Elles ne sont ni gamines ni fluettes. Elles sont, toutes les deux, grandes, minces, fortes, solides de tête et de corps. Elles sont aussi élégantes et racées, certaines de leurs charmes et de leurs pouvoirs. Instruites et avisées, elles ne sont pas sottes, l'une est infirmière, l'autre comptable. Elles ont judicieusement choisi leur mari et vivent bourgeoisement.

Les hommes sont à la chasse, elles vont les rejoindre. Ils ne sont pas à plaindre; le mal qu'ils se donnent, ils le recherchent. La force physique et l'art de survivre dans une nature hostile sont deux attributs essentiels de la virilité et les mâles aiment bien se rassurer sur la plénitude de leur forme physique. Les hommes trouvent bon aussi, pendant quelques jours, de s'éloigner du bureau pour faire de l'exercice et vivre comme on vivait quand l'existence n'était pas si compliquée.

Ils sont donc partis avec leurs fusils, le casque rouge sur la tête, et se sont enfoncés dans la forêt.

N'ont-elles pas le droit, elles aussi, de prendre quelques jours de congé, de se donner l'impression d'être libérées de leurs servitudes domestiques?

Elles l'ont!

Depuis le temps qu'ils sont partis, les hommes ont sûrement frappé. Vraisemblablement, ils ont dû tuer une dizaine de perdrix et une douzaine de lièvres, à moins qu'ils ne se soient postés pour le chevreuil ou l'orignal. Il leur est déjà arrivé, après cinq jours, de revenir à la maison avec deux chevreuils, cinq perdrix et une dizaine de lièvres. Ce sont des chasseurs expérimentés et efficaces. Ils se lèvent tôt et partent au petit jour, dans la brume des sentiers. Ils connaissent leur territoire et savent où s'embusquer.

Marcelle va donc reconduire ses enfants, puis elle passe à la Régie prendre quelques bouteilles de beaujolais et de mâcon; ensuite, elle se rend chez Van Houtte pour acheter ces jolies choses qui embellissent si bien une table et mettent les convives en appétit: des pâtés, de la cochonnaille, des olives, des marinades. Elle prendra aussi des chandelles et des serviettes. Paule se chargera des steaks, de la verrerie et des pâtisseries. On débutera par une soupe aux poireaux après avoir goûté au saumon fumé relevé de câpres, lui-même précédé par les petits canapés fourrés et les toasts aux huîtres... tout ça après le scotch et les noix salées. Surtout ne pas oublier les arachides et les croustilles!

Un repas de vingt-deux services. Il ne manquera que les laquais en perruque et les valets de pied le chandelier au poing.

Passé Joliette et Saint-Côme, elles s'engagent sur les chemins forestiers. Elles connaissent bien celui qui mène à la Cache de l'Ours. Il est bien choisi. C'est une tanière rudimentaire cachée dans un bois sale et touffu.

La forêt, coupée à blanc il y a vingt ans, a repoussé dense et enchevêtrée. C'est un boisé de jeunes érables mêlé de cerisiers noirs, de bouleaux et de trembles, parsemé de plaques de sable aride où poussent des bosquets de pins tordus. On y avance avec peine et il faut savoir s'orienter.

Jamais, ils ne chassent sur les chemins ou dans les sentiers. Tout le monde s'y promène et les bêtes l'ont vite appris. Il faut carrément entrer dans la forêt et marcher à la boussole, ou suivre un ruisseau ou une rivière.

Elles sont arrivées à la barrière qui marque le début de la réserve forestière. Le garde s'approche, se penche, les dévisage et leur demande:

— Votre destination?

— La Cache de l'Ours.

— Pour Messieurs Lecavalier et Saintonge?

— Oui.

Elles ne le connaissent pas, c'est un nouveau de l'an dernier. Il y a bien deux ou trois ans qu'elles sont montées ici. Il se penche et les regarde d'un air à la fois sévère et amical: «Écoutez, les petites filles, retournez chez vous. Cette fois-ci, ils sont montés avec leurs dames».

Stupéfaction. Silence. Colère haineuse.

— Avec leurs femmes, dites-vous! Ouvrez la barrière et vite! Leurs femmes, c'est nous!

— Écoutez, les petites filles, pas de scandale!

Il ne comprend pas. Il ne réalise pas que ce sont elles, les épouses. Soudain, à leur air résolu et enragé la lumière se fait, et alors il ne sait vraiment plus quoi faire. Il reste là, ahuri, immobile, la bouche ouverte et les yeux ronds. «Vas-tu la monter, ta maudite barrière, ou va-t'y falloir que je descende. Je te préviens, essaie pas de te mettre dans mon chemin, tu vas revoler en l'air... aboutis, ahuri!»

Paule sait parler dru quand il le faut et il le faut souvent à l'hôpital avec les patients plaignards et malcommodes qui rechignent à tout propos, les bonnes sœurs qui passent leurs journées à vous prendre en défaut, les internes à peau lisse qui ne savent même pas donner un placebo, des visages en peau de fesse qui se prennent pour des patrons. «Bouge, que je te dis, grouille!» Il obéit et la voiture bondit, le champignon poussé au fond.

— Un petit nid d'amour! Les deux grandes bêtes qu'on était toutes les deux, Marcelle! Des buses, des arriérées. La belle surprise qu'on va leur faire, compte sur moi, Marcelle. Si l'un des deux meurt d'une crise cardiaque, tant mieux!

— Non, mais ris un peu!

— La chasse à la perdrix... du gibier à deux pattes, en jupette et en soutien-gorge... la tanière de l'ours! C'est impeccable comme organisation et alibi; loin, en sécurité dans le bois, pas cher, pas de dépenses d'hôtel, pas de restaurants dispendieux où on risque d'être vu, le bois! Les femmes se sentent faibles et vulnérables dans la forêt, les héros du Nord sont là pour les protéger. Un petit coup d'alcool blanc pour remonter le moral de ces dames et hop, la sauterie commence. Les porcs!

Paule est tellement enragée qu'elle jouit! Jamais elle ne s'est sentie aussi bien. Les mots de haine et les imprécations lui viennent aisément, drus, purs, durs. Elle devient de plus en plus vulgaire et méprisante. L'autre, Marcelle, se tait. Elle est abasourdie, muette. Elle ne croit pas ce qui arrive. Ce n'est pas vrai. Il y a malentendu. Le garde s'est trompé. Dans une heure, on rira de toute cette excitation et on en rougira. Quand on leur racontera la scène, les hommes se fâcheront, puis ils commenceront à rire. On ouvrira les bouteilles et la fête commencera plus vite que prévu. Il ne faudrait pas que la célébration se termine par un troisième. Deux enfants, c'est assez! Celui-là, vraiment, il serait de trop. Elle a tout ce qu'il faut pour prévenir les accidents, mais, sait-on jamais, avec l'alcool et ces emportements qui s'emparent subitement de vous. Il faut toujours rester calme.

Paule n'est pas calme, elle conduit violemment, crie sa haine en s'accrochant au volant. «Calme-toi Paule», lui dit Marcelle, hagarde et inquiète. «Ne gesticule pas tant, on va monter dans un arbre.»

Marcelle a toujours le souci de ses enfants, à qui elle doit revenir.

«Tu peux rester calme, toi, réplique Paule, on vient de t'apprendre que ton mari Henri fait l'amour dans un *sleeping-bag* avec une chérie ramassée dans un bar et tu restes calme… as-tu vu les caisses d'œufs qu'ils se sont montés? Si on les laisse faire, ils en ont pour un mois à s'amuser. S'ils pouvaient en mourir!»

Et si Paule avait raison! Alors, ce sera la fin. Marcelle est décontenancée. Elle n'arrive même pas à s'enrager. Elle ne hait pas. La colère ne vient pas. C'est comme s'il n'y avait plus rien, comme si tout était aboli, n'avait jamais existé.

«Grande folle, arrive en ville, reprend Paule, véhémente, sors de ta campagne! Il reste deux milles avant d'arriver au chalet, on fait quoi? J'arrête et on décide d'un plan? Que fait-on si, en arrivant là, ils sont tous les quatre nus, un verre à la main, devant un feu de cheminée?… On fait quoi? On vire de bord, on retourne à la maison? Pas moi! Ça va barder… Je vais me payer le luxe de tout casser… le bunker va sauter en l'air, la forêt va flamber… Je me paie un feu d'artifice! C'est aujourd'hui ma fête. Ouvre grand tes grands yeux de vache somnolente, Marcelle, et regarde-moi faire... réveille-toi, on arrive.»

L'automobile des deux chasseurs est stationnée devant le camp. Il semble n'y avoir personne. «Viens, on va voir ça de près!»

Il y a malheureusement des signes qui ne mentent pas. Les amoureux ne sont pas au nid mais ils ne devraient pas tarder à revenir, le soir tombe tôt en novembre.

«Moi, Marcelle, je rentre. Je veux voir ça de près. Reste dehors si tu veux, mais moi je veux voir et toucher. C'est une bouteille de parfum de femme que je vois sur la table près du lit. Viens voir.»

Elles entrent, Marcelle, commotionnée, ne parle toujours pas.

«... regarde moi ça! Du Calèche! Elles ont bon goût... ce n'est pas de la lotion pour hommes ça... et de la poudre... de la poudre à fesses! Tu veux me faire croire, Marcelle, que c'est ton Jésus qui se sert de ça? C'est pas le mien, c'est pas son genre. Si tu crois que je vais me gêner! Regarde-moi ces belles petites valises de week-end. C'est à ton chéri, à Henri, cette belle petite valise de cuirette rose avec dessus une marque de commerce bien connue: "Mademoiselle"! Ce n'est pas à moi, je peux te le dire. Voyons ce qu'elle contient.» Elle ouvre la valise. «Même pas du beau linge, des petites zézetteries bordées de petites dentelleries... du tout-fait-bon-marché pour montre-en-fesses-pas-chères! Ah!... c'est le comble! C'est total, terminal!... Une des deux beautés est dans le sang! Le pauvre chéri, comme il a dû souffrir! Ils ont peut-être tiré au sort lequel serait mangé... à la courte paille, peut-être, ou à tête-bêche? Qui a gagné? Qui des deux, Gérard ou Henri? Je veux savoir qui a gagné! L'autre devait se tordre dans un coin... à moins que non, les maudits cochons, il n'y a rien qui les arrête... j'espère qu'ils se sont fait infecter, tous les deux! Jamais plus il ne me touchera! Jamais. Il m'écœure! Marcelle, on est faites, on s'est fait faire, mais le dernier mot de Paule Lecavalier n'est pas encore prononcé!»

* * *

Les chasseurs avancent. Le bois s'éclaircit peu à peu. On distingue l'éclaircie du lac. Ils approchent du chemin, la maison n'est pas loin. Bientôt, ils seront rendus. Gérard ouvre la marche, la carabine prête à faire feu, puis suivent les deux femmes. L'une porte sur l'épaule un petit 410, léger et mince, une arme de femme. Henri vient en dernier, un 12 cassé en deux, plié sur l'avant-bras.

Gérard, soudain, se fige.

— Stop! Arrêtez, plus un mot!

— Qu'y a-t-il? A-t-il vu un chevreuil ici, si près du chemin?

Ils s'immobilisent. Gérard continue d'avancer, lentement, si lentement qu'on perçoit à peine ses mouvements. Il est grand, fort, mince, les cheveux sombres, l'œil noir, une forte moustache taillée carrée. Il est presque maigre. Il a la démarche et l'allure d'un grand chat. Il observe puis revient vers eux.

— Reculez... Christ! Reculez, ne restez pas là!

— Qu'est-ce qu'il y a?

— Reculez, je vous dis, ne faites pas de bruit.

Ils reviennent donc sur leurs pas et s'arrêtent dans une petite éclaircie qu'ils venaient de traverser.

— Enfin, qu'est-ce qu'il y a? Tu m'énerves. Vas-tu te décider à me dire ce qu'il y a?», lui demande celle qui le suit, un 410 sur l'épaule.

— Nos femmes!

Il est stupéfait et songeur mais nullement affolé; il faut toujours savoir garder son sang-froid et rester en contrôle de soi-même. Il faut analyser la situation, réfléchir et contourner l'obstacle. Il faut trouver un moyen de s'en sortir. «Nos femmes!» vagit Henri, le mari de Marcelle, père de deux enfants. Il est effondré, blême, les genoux lui fléchissent.

«Nos femmes...», prononce-t-il encore comme s'il n'arrivait pas à y croire, comme s'il s'agissait d'une autre mauvaise plaisanterie de Gérard. Il pourrait en inventer de meilleures, celui-là. On ne sait jamais ce qui peut arriver quand on part en expédition avec lui.

— Oui, nos femmes!

— Tu les a vues? demande Henri.

— Son auto est là. Qui donc a pu monter ici dans son automobile si ce n'est elle? Si c'est bien elle, la tienne n'est pas loin.

— Qu'est-ce qu'elles font ici?

— Elles sont venues nous voir, mon chouchou. Elles sont montées nous faire une belle surprise. Elles sont là.

— On est pris!

— Pas si vite... on a bien failli mais ce n'est pas encore fait. Il n'y a rien de perdu, encore.

— Qu'est-ce qu'on fait? supplie Henri.

— Les femmes vont marcher jusqu'au bord du bois, puis elles vont avancer le long du chemin, en se cachant, jusqu'à ce qu'elles soient hors de vue du campement, alors elles sortiront du bois et feront de l'auto-stop jusqu'à la barrière. De là, elles prendront un taxi pour retourner chez elles. J'ai mon portefeuille, j'ai ce qu'il faut. On se reverra en ville pour régler le reste…

— Et les bagages?

— Quels bagages? Les valises qu'il y a dans le chalet? Les valises… pas à elles, ces valises-là! Ce sont ceux qui sont venus avant nous qui les ont laissées là. On n'a rien à voir avec ça… ça sera dur, mais ça finira par passer…

— Tu règles vite notre cas, mon noir.

La plus grande des deux, Yvette, celle qui manifestement accompagne Gérard, a pris la parole. Elle est grande, rousse, bien faite. Elle n'a pas froid aux yeux et n'a pas peur des hommes. Elle espère toujours rencontrer celui qui lui tiendra tête.

— Tu veux me faire faire de l'auto-stop, comme ça, le soir, en plein bois, sur une route déserte. Tu rêves en technicolor et en trois dimensions, mon noir, trouve autre chose! Il n'y a pas une auto qui passe par ici…

— Si tu marches…

— T'es pas fou, non, trente milles à pied, la nuit dans le bois… je ne me suis pas engagée dans l'infanterie, moi… je n'ai pas peur des ours, mais, quand même!

— …Alors, reprend Gérard, vous faites ce que j'ai dit. À un mille ou deux d'ici, sur le côté du chemin, il y a une cabane. Elle n'est jamais fermée. Vous entrez, il y a des chaises. Nous, on s'occupe de nos femmes, demain elles partent et on revient vous chercher.

— Et le party reprend! Mon noir, prends-tu ta femme pour une folle? Il y a mon déshabillé sous ton oreiller et il y a du rouge à lèvres sur les draps. Sur la table, il y a le flacon de parfum d'Anita, nos robes et nos blouses sur les supports… nos valises, nos souliers sous les lits… elles vont savoir. Elles voudraient ne rien savoir qu'elles n'auraient pas le choix; elles ne peuvent pas ne pas savoir! Il ne reste plus qu'à rentrer... des explications, il n'y en a pas! Vous êtes deux maudits grands niais qui vous êtes fait prendre... je m'attendais à mieux... il ne reste plus qu'à y aller; moi, je n'ai rien à perdre; ce n'est pas mon mari qui vient d'arriver au chalet, celui-là, j'ai réglé son cas il y a longtemps... mais je peux vous dire que lui ne se serait jamais fait prendre comme vous deux!

— Bouge pas!

Gérard, l'arme braquée sur Yvette, l'arrête net. Anita a poussé un cri. Yvette, la rousse, se retourne et le regarde droit dans les yeux.

— Baisse ton fusil, mon noir, tu ne trouves pas que tu as suffisamment de problèmes... t'es pas assez dans le trouble? Baisse ton fusil et laisse-moi passer... tiens, décharge-le et donne-moi-le. Tu te vois au bout d'une corde? Calme-toi et donne-moi ça!

Gérard abaisse la carabine et vide le chargeur. Il la déçoit un peu, celui-là. Elle croyait enfin tenir un homme: grand, beau, fort, intelligent, malin, capable de gagner beaucoup d'argent, débrouillard, plein d'astuce, amusant... il casse facilement, il cède vite et abandonne, c'est un lâcheur. Il a rendu le fusil sans discuter. «Anita, prends le fusil d'Henri.»

Dans le chalet, on s'agite. «Les amours arrivent.» Paule est tellement enragée qu'elle rigole et siffle de haine. «Une femme sort du bois. Elle est armée. Elle porte une carabine... tiens, une autre... puis, Gérard, puis, Henri, les mains dans les poches tous les deux...»

«Les voilà, nos chéris, ma grande. Ils vont être tellement heureux de nous voir... regarde-moi cette procession-

là, comme c'est beau… diacre, sous-diacre. Il ne manque
que le baldaquin et le Saint-Sacrement… ils sont beaux, nos
hommes! Il faut dire que les femmes ont du genre, elles
aussi. Une grande rousse et une petite blonde… la grande
rousse qui semble parler tout le temps, c'est sûrement celle
de Gérard… c'est ce qui se fait de mieux, ces deux-là… tant
mieux, ce n'est pas mauvais signe pour nous… la grande,
elle se prend un peu trop pour Madeleine de Verchères avec
son fusil et son chapeau australien… la petite a l'air
gênée… Voyons, faut pas pleurer, faut rire… regarde-les
arriver; les femmes portent les fusils comme si elles arrivaient d'une chasse à l'homme.»

À l'extérieur, Yvette s'approche d'Anita:

— Donne-moi ça, lui dit-elle, en s'emparant des
armes, puis elle passe devant le chalet, se rend au bout du
quai et jette les fusils à l'eau.

— T'es pas devenue folle, non? hurle Gérard.

— Tu plongeras, tu sais où les retrouver!

Un vrai Québécois, pense-t-elle; il est sur le point de
perdre sa femme et il se préoccupe de son fusil! Elle entre
dans le chalet.

— Bienvenue la visite! hurle Paule.

— Si ça ne vous fait rien, l'arrête Yvette, je vais faire
un peu de ménage, puis, on va se parler tranquillement; on
a tout le temps qu'il faut!

Se peut-il qu'elle soit si calme? Après tout, que peut-il
lui arriver? Devoir être présente à une double scène de
ménage sans pouvoir s'esquiver? En ville, elle prendrait
l'escalier et disparaîtrait rapidement, mais ici, dans la
tanière des ours, elle est coincée. Il ne reste plus qu'à tenter
de deviner le dénouement de la comédie et tâcher de ne pas
être prise entre deux feux.

Elle s'empare donc, imitée par Anita, de toutes les machettes, sabres d'abattis, haches, hachettes, poignards, couteaux et masses qui traînent un peu partout et jette le tout au bout du quai.

Paule est étonnée:

— Pourquoi jeter toutes ces armes à l'eau; vous ne vous attendiez pas à ce que je me tue de désespoir?

— Si vous aviez dû le faire, vous n'auriez pas attendu notre retour, réplique Yvette.

— Vous ne craignez tout de même pas que je me donne la peine de tenter de le tuer, lui... qu'il continue de vivre; il souffrira plus longtemps.

— Je sais, je devine.

— Alors?

— Alors...

— Lui, tuer... Gérard tuer!

— Les hommes sont tellement stupides, explique Yvette, et imprévisibles. Je ne tiens pas à ce que mon nom apparaisse dans les journaux du dimanche, *Allô Police* ou *Nouvelles et Potins*, comme victime ou comme témoin. Vous voyez les titres: «Orgie et tuerie en plein bois.» Mes parents auraient honte... un homme assez stupide pour se laisser prendre comme il l'a fait aujourd'hui... on ne sait jamais ce que ça peut faire!

— C'est vrai que Gérard est stupide! abonde Paule. Beau et stupide, ou plutôt il se croit beau et intelligent alors qu'il est quelconque et stupide comme une roche, bête à manger du foin... se faire prendre en plein jour les culottes à la main... en plein bois, même pas capable de faire ses mauvais coups discrètement... Beau Noir! Beau Noir, va! Avez-vous remarqué comme il est noir et poilu... ça lui sort de partout, comme s'il en était bourré... de poil... il n'a que du poil, même entre les deux oreilles, du poil… c'est tout ce qu'il a! Le repaire de l'ours! Un ours, un grand ours maigre qui se croit malin mais qui est balourd et qui se fait prendre; il aime trop le miel! T'es bête, t'es niais… tu te crois beau et infaillible… t'as toujours raison… c'est toi qui commandes parce que tu sais tout, tu connais tout, tu prévois tout… toi seul es grand, Seigneur! toi seul es bon!… Du poil! Du poil partout. Vous avez sans doute remarqué: sous le nez, dans le nez, dans les oreilles, sur le dos, sur la poitrine, le ventre… partout… les joyaux de la couronne! Le Grand Géniteur! Un verre d'alcool et la puissance et la gloire, finis tous les deux! Avez-vous remarqué sa tremblote du bout de la quéquette quand il a bu? Le Parkinson du gland… elle est toute nerveuse et affolée de désirs. Le surhomme tremble de tout son membre! Un maudit pas bon que t'es, Gérard Lecavalier, un incapable, un stupide, même pas capable de tromper sa femme comme un homme!

— Tu m'écœures! réplique-t-il, parce qu'il est entré et l'écoute. Je ne suis même pas capable de me fâcher tellement tu m'écœures… qu'est-ce que tu veux pour un divorce?

— Un divorce, vite comme ça, sans problème! Ah! beau mâle, tu rêves! T'es encore plus stupide que tout ce qu'on pouvait prévoir. Le divorce! Vous entendez ça! Monsieur quête un divorce. Monsieur veut sa liberté et voudrait qu'on la lui donne! Essaie! Je ne te lâche pas, je t'ai, je te tiens. Je ne veux pas de toi mais je te garde. Tu vas payer! Tu n'as pas fini de payer; tu ne fais que commencer. Tu vas tout cracher, tout ce que tu as, et quand tu n'auras plus rien, tu crèveras! Menteur… faussaire… fraudeur… incapable!

Payer! Il n'a pas fini de payer. Gérard ne parle pas, ne réplique pas, ne sourit même pas. Il reste imperturbable, comme s'il n'entendait pas, comme s'il ne pensait pas, mais il ne réfléchit pas moins et les idées et les images défilent vite et les décisions définitives sont vite prises, sans que rien n'en paraisse.

«Payer…, pense-t-il en lui-même. J'ai fini de payer, mon araignée à grande toile, ma trappe à mouches, mon piège à ours! Condamné à payer jusqu'à la fin des temps pour s'être fait prendre. Une fois la pomme mordue, fini le paradis, l'enfer commence. Madame veut la grande maison dans le beau quartier, les beaux meubles, la grande vie, les sorties brillantes, les bijoux, la sécurité, le prestige, les séjours dans le Sud et un homme asservi qui travaille, qui ne parle pas, qui dit toujours oui, qui la suit en silence et n'exige rien… et Madame fait aller son gros cul… fini!»

Il reste silencieux pendant qu'elles le dévisagent. Muet. L'accusé se tait.

Son complice ne parle toujours pas. Henri, le pauvre Henri, est prostré dans un coin et attend que la tempête passe. Tant mieux pour lui, tant qu'elles s'acharneront sur un autre, c'est autant de gagné. Quand son tour viendra, elles seront peut-être épuisées! Pourtant sa femme ne le regarde même pas.

«Lui va payer, Dieu qu'il va payer, pense Gérard de son ami. Elle le tient; ils ont deux enfants, ils sont prisonniers l'un de l'autre. Elle ne lui reprochera jamais rien. Elle continuera, muette et dévouée, de se sacrifier. Cette maudite habitude qu'elles ont du sacrifice ostentatoire qui les transfigure en reproches ambulants. Il sera honteux et coupable jusqu'à l'écœurement. Jamais elle ne lui hurlera sa haine de femme trahie. Jusqu'à la fin des temps, coupable, il attendra le prononcé de sa peine et jamais il ne sera puni. L'enfer, toujours, jamais.»

Qu'avait donc Henri à se laisser entraîner dans cette histoire? Et tout ça pour choisir le même genre de femme: petite, mignonne, blondinette, douce, effacée, dévouée. Il n'a même pas fait de changement. Elles se ressemblent toutes les deux! Sa femme et celle qu'il a montée ici. Alors, à quoi bon, il avait ce qu'il voulait!

Et lui donc! Il est lui aussi retombé dans le même piège. Paule et Yvette, deux passionnées véhémentes. Comment deux femmes peuvent-elles autant se ressembler? *Bis repetita placet!* Les hommes n'apprennent jamais et commettent toujours la même faute. Relaps!

La prochaine fois, il se choisira une négresse à plateaux ou une danseuse khmère à huit bras, c'est la seule façon de ne pas retomber dans la même ornière… huit bras comme un poulpe… huit bras pour mieux t'enlacer et te retenir… huit bras couverts de ventouses. Sont-elles toutes pareilles?

Regardez-les toutes les deux. Paule et Yvette sont presque heureuses d'avoir fait connaissance. C'est tout juste si elles ne s'embrassent pas. Demain, elles iront ensemble faire la tournée des magasins puis, à cinq heures, pour se délasser les jambes après une journée de courses, elles prendront un verre rue de la Montagne et riront férocement de Gérard. Deux complices.

«Il faut partir, pense Gérard. Inutile de songer à entraîner Henri, il est irrécupérable. Tant pis pour lui. Qu'il souffre!»

Gérard tâte la poche intérieure de son veston de chasse, son portefeuille est là, avec son argent et ses cartes de crédit. Il tient à la main la clef de son automobile. Dans le coffre-arrière, il y a sa valise et des vêtements qu'il avait apportés au cas où ils se seraient arrêtés dans un restaurant. «Allons-y.» Il a passé la porte.

Tout s'est fait si vite. Paule l'a regardé partir. «Où vas-tu?»

Il n'a même pas répondu. Narquoise, elle le regarde partir: «Ne vous inquiétez pas, dit-elle aux autres, il n'ira pas loin.»

Pour la première fois, elle s'est trompée. Elle rigole en le voyant courir. «Regardez-le aller; c'est drôle, un homme qui fuit...»

Il a couru à l'automobile, a fait claquer la porte, a tourné la clef du démarreur. Le moteur tourne, il a brutalement reculé pour mieux pouvoir s'engager sur le chemin. Les pneus ont crié et les cailloux ont jailli lorsqu'il a poussé l'auto en avant.

Adieu. Cours après moi maintenant, ventouse! Il a couché à Montréal, dans un motel. Le lendemain, il transformait ses comptes de banque en chèques de voyage d'American Express, il encaissait ses polices d'assurance-vie, vendait ses actions, liquidait ses obligations. La maison, il la lui laisse... qu'elle continue à payer l'hypothèque. Les meubles sont à elle par contrat de mariage.

À cinq heures de l'après-midi, tout était fait et il téléphonait au bureau: «Les gars, bonjour. Vous ne me reverrez jamais!»

Quand Gérard est parti, alors qu'elles étaient encore dans le chalet, Paule s'est tournée vers les autres femmes et leur a dit: «Bon débarras!» Personne n'a réagi. «On n'a plus rien à faire ici, a-t-elle ajouté, alors, qu'est-ce qu'on attend pour partir. Je te préviens, Marcelle, il n'est pas question qu'Henri monte dans mon auto. Que ton déchet de mari se débrouille tout seul et revienne par ses propres moyens… qu'il marche un peu! Venez, les filles, on retourne à Montréal.»

Les quatre femmes sont parties ensemble.

Henri s'est alors versé un verre de scotch, huit onces avec une larme d'eau, puis un autre, puis un troisième. Il est tombé stupéfié sur le plancher du chalet et, quand le garde forestier est venu le chercher, il a fallu qu'il le hisse dans la camionnette. À minuit, il arrivait chez lui. Sa femme lui fit couler un bain et l'aida à se déshabiller. Quand il entra dans l'eau, la tiédeur lui fit vomir ses entrailles. Sa femme dut tout nettoyer.

On n'a plus revu Gérard. Ingénieur, il aurait trouvé du travail au Koweit ou à Dubaï. Une Libanaise ou une Égyptienne au profil de Néfertiti lui tiendrait compagnie. Une femme superbe à l'emploi d'une entreprise pétrolière. Elle sait très bien ce qu'elle veut et dicte ses volontés en cinq langues: en français, en anglais, en arabe, en arménien et en farsi.

«Moi, je suis comme Rimbaud, rigole-t-il, il me faut des dictionnaires reliés en peau!»

Chante toujours, beau mâle, une fois de plus tu t'es fait piéger!

Solstice d'hiver

En décembre, la famille attend que le lac gèle. Décembre est un mois obscur et qui ne semble jamais devoir finir. Caché par les nuages, le soleil se montre peu. Les jours sont longs et froids et la nuit tombe tôt. Les arbres sont nus. La terre est noire. Même l'eau de la baie semble plus sombre qu'à l'été.

La famille monte au chalet pour guetter la première neige. Quand elle tombe, elle couvre complètement le sol, pour disparaître deux ou trois jours plus tard. Après cette première chute, les hommes se rendent dans la forêt pour relever les pistes de lièvres. On les reconnaît aisément. On dirait qu'ils bondissent sur trois pattes, deux à l'avant, une à l'arrière. Les chasseurs accrochent des rubans rouges aux arbres pour retrouver les endroits où ils se tiennent.

Quand la neige fond, les lièvres deviennent vulnérables, ils sont blancs sur le fond noir de la terre et n'arrivent pas à se cacher. Ils restent immobiles dans toute leur blancheur, leur œil rose grand ouvert, se croient invisibles et ne bougent pas. Cela devient alors un jeu de faire une bonne chasse et c'est autant que les fauves n'auront pas. La chair des lièvres est alors grasse et bonne et n'a pas ce goût de sapinage qu'elle acquerra plus tard dans la saison.

Les hommes chassent en attendant que le lac gèle.

Sur les rives, il se forme d'abord des plaques de glace qui ne durent pas. Le vent les fragmente et les vagues les cassent. Arrive une nuit de froid intense sans vent pour agiter la surface du lac, l'eau immobile prend alors d'une rive à l'autre. En une nuit, la baie est couverte d'une couche de glace suffisante pour porter un homme. Le matin suivant, toute la famille chausse ses patins.

Avant de téléphoner à Montréal pour inviter les amis à monter, ils cassent un peu partout la glace pour en vérifier l'épaisseur. Quand les enfants étaient jeunes, le père mettait ses patins et partait le premier en dessinant de longs cercles concentriques de plus en plus grands et qui restaient gravés sur la surface du lac. Là où il passait, les enfants pouvaient suivre.

Une fois, la surface a cédé sous lui. C'était au lendemain d'un très grand froid. Le lac avait gelé d'un seul coup. La glace était claire comme du verre. Partout, on voyait les fonds. On pouvait distinguer les algues et les poissons qui se poursuivaient dans les herbiers. Ce jour-là, ils avaient retrouvé un moteur perdu deux ans auparavant alors qu'il s'était décroché d'une embarcation. Ils ont cassé la glace et ont immergé un ballon rouge un mètre sous la surface. À l'été, l'un des garçons plongera et on remontera le moteur.

Ils retournaient à la maison en folâtrant et en se courant les uns les autres. Le père s'amusait à suivre un banc de perchaudes. Les poissons fuyaient, effrayés par l'ombre qui les poursuivait. Ils se hâtaient vers la sécurité de leur frayère. C'est un long sillon creusé dans le fond de la baie par le torrent qui s'y déverse. Le courant qui descend de la montagne pénètre dans le lac et on le voit qui courbe les algues. C'est dans ce canal que les poissons se réfugient. Ils se cachent dans les herbes, guettant les débris qui descendent vers eux. À cause du mouvement de l'eau, la glace est plus mince à cet endroit et le père, absorbé par sa course, a réalisé trop tard qu'il passait au-dessus de la frayère. Il tenta d'accélérer pour passer plus vite mais la glace céda sous lui. L'eau n'était heureusement pas profonde à cet endroit. Les enfants le regardaient avec effroi et émotion: ils avaient failli le perdre.

C'est arrivé il y a longtemps. Après cette aventure, ils ont pris l'habitude d'éviter l'embouchure des ruisseaux et des torrents qui se jettent dans le lac.

Un matin, quand ils se sont réveillés, la glace avait pris. La surface portait sans danger et ils invitèrent leurs amis. «Venez. La fête, c'est aujourd'hui. Montez vos sacs de couchage, tout le monde couche chez nous. On vous attend!» Les amis ne manquent pas la célébration de la première glace: on ne manque pas ça. Ils laissent tout en plan et montent dans le Nord patiner, boire et manger. Le soir, on allume les réflecteurs, on illumine le lac et on patine tard dans la nuit, sous une grosse lune endormie.

Dans le garage creusé sous la maison, ils ont installé bancs et chaises et ont étalé les huîtres sur une table solide pour une dégustation monstre. Chacun a son tablier et son couteau et ouvre ses coquillages. Il y a de la bière et du vin blanc. Dehors, on continue à jouer au hockey et à patiner. Ils ont accroché des haut-parleurs à l'extérieur de la maison et font jouer des cassettes, aussi bien Vivaldi que du rock. Les voisins rappliquent et viennent patiner. Il y a des huîtres pour tout le monde.

Il arrive qu'une petite neige tombe et obscurcisse la lune. On valse alors dans les flocons. Plus question de jouer au hockey, on perd la rondelle dans la neige poudreuse qu'on doit déblayer en poussant les grattoirs.

Il y a même des dames âgées qui ont chaussé leurs patins et qui conversent à l'écart.

Quand on a froid, on rentre se réchauffer contre le poêle à bois où mijote la soupe. Il y a toujours là un gourmand occupé à gober une dernière huître et qui ne demande pas mieux que de jaser en prenant un dernier verre avant de retourner à l'extérieur.

C'est la Fête du solstice d'hiver.

Ils ont prévenu les amis qu'il était probable que ce soit pour le week-end; qu'ils se tiennent prêts et ne prennent pas d'engagement. Les provisions sont stockées depuis longtemps, les caisses de bière et de vin, les boîtes de pâtés, les apprêts, tout. Il ne manque que les huîtres. Un cousin en prendra livraison dans l'après-midi et les apportera. Quand le soir tombera, on étalera sur les tables un lit de glaçons pour les garder fraîches. Les amis commenceront à arriver vers midi et iront rejoindre les autres sur le lac.

Le hockey que l'on joue ces jours-là ne respecte pas les règles coutumières. Plutôt qu'une compétition sportive, c'est une fiesta, comme les grandes parties de crosse qui opposaient les Français aux Indiens durant les célébrations de la Fête de la Lune. Tout le monde joue, tout le monde participe; il importe surtout de rire. Du grand-père au petit dernier, tout le monde patine et court après la rondelle. Les participants quittent le jeu, vont se réchauffer, mangent, boivent, puis reviennent. La partie, une fois commencée, ne se termine qu'avec l'épuisement des joueurs. Délaissant le jeu, il y en a qui s'éloignent et s'aventurent loin de la patinoire vers des baies éloignées perdues sous la lune. On entend la musique au loin et on essaie de ne pas perdre de vue la lumière vers laquelle il faut revenir.

À six heures du matin, ils étaient debout. Ils ont vérifié l'épaisseur de la glace et, après le petit déjeuner, ils ont commencé les préparatifs.

Le père et ses trois garçons travaillent à enfoncer les piquets qui servent de buts et installent les réflecteurs. Le père prend les mesures et détermine les emplacements, les fils enfoncent les pieux avec une masse.

Catherine, la seule fille, la plus jeune de la famille, s'est approchée et a offert de les aider.

La glace est parfaite et translucide, on voit bien le fond. Les poissons filent. Le courant agite un peu les algues. On distingue les moules d'eau douce au bout du long sillon qu'elles creusent dans le sable en se déplaçant.

Soudain, Catherine s'arrête, figée.

— Papa! crie-t-elle.

— Quoi, qu'y a-t-il?

— Viens voir!

Sidérée, elle fixe le fond de l'eau. On est devant la maison, à dix mètres de la rive, près de là où ses frères viennent d'enfoncer un poteau de lumière. Le père, suivi d'un autre fils, arrive. «Il y a une poupée dans le fond», répète-t-elle.

Si c'est une poupée, elle est grandeur nature, et elle regarde les yeux grand ouverts comme si elle cherchait à mieux distinguer ceux qui l'observent au-dessus, par-delà la plaque de verre posée entre eux. «Ce n'est pas une poupée», dit Louis, le fils, en se mettant à genoux sur la glace. Il s'est ensuite couché et, faisant écran de ses mains pour mieux voir, il a fixé le fond puis, lentement, à son père: «Je la vois bien, maintenant… elle a une corde autour du cou.» Stupéfait, il s'est relevé et a demandé:

— Qu'est-ce qu'on fait?

— Qu'est-ce qu'on fait?…, a répété le père. On ne peut pas la laisser là et je ne veux pas y toucher moi-même. Il faut appeler la police et tout contremander. On ne peut pas inviter les gens à venir ici pendant que la police retire un corps. Appelez vos amis et annulez tout.

Catherine les regardait et les écoutait, elle se pencha sur la glace et elle aussi regarda de près. Quand elle se releva, elle avait les yeux fixes et les dents serrées. Elle se dirigea vers la maison et s'enferma dans sa chambre. Elle en ressortit sa valise à la main.

— Je m'en vais, dit-elle. Je ne reste pas ici.

— Calme-toi, lui dit sa mère, attends un peu et, si tu veux partir, nous partirons ensemble.

Les policiers sont arrivés promptement. Ils ont fait les constats puis ont prévenu le quartier général. On leur envoya deux plongeurs qui arrivèrent à midi, en même temps que les amis qu'on n'avait pu rejoindre. Ils découpèrent la glace à la tronçonneuse et descendirent dans l'eau. Ils en sortirent le corps. L'enfant avait une corde autour du cou et, aux pieds, une pesée qu'on n'avait pas distinguée auparavant.

— Connaissez-vous cet enfant? demandèrent les policiers.

— Jamais vu, dit le père, parlant pour tous.

— On l'a probablement lancé d'un avion, risqua un policier.

— Il en passe souvent au-dessus du lac, intervint la mère. Parfois, ils lancent à l'eau des sacs de déchets, ce qui nous enrage. La dernière fois, j'ai pris les jumelles et j'ai noté le numéro matricule de l'avion. J'aurais dû déposer une plainte. C'était tôt cet automne.

Elle entra dans la maison et revint avec un petit livre où était inscrit le numéro qu'elle fournit aux policiers. On ne retrouva jamais l'avion. On n'identifia jamais l'enfant.

Catherine n'est pas remontée au chalet cet hiver-là. L'été qui suivit, elle refusa de se baigner dans l'eau du lac. Depuis, elle ne vient plus au lac et passe ses week-ends en ville. La famille n'a plus jamais fêté le solstice.

Le commissaire du peuple

À Henri Dorion
et André Desgagné

Quand il monta dans l'avion, il était sûr du bien-fondé de sa mission. Il s'envolait franc nord vers ces terres qui ne dégèlent jamais. Il n'y avait là que des rives désolées où vivent des peuplades démunies. Le gouvernement du Québec l'envoyait vérifier la réalité de son emprise sur le désert de gel. Il faut protéger l'avenir et assurer la main-mise de la nation sur ces terres inaccessibles que d'autres convoitent.

Pourquoi tant tenir à ces terres? Qui donc acceptera d'aller y vivre? Pas lui! Jamais il ne s'expatrierait si loin. D'autres que les Inuit réussiront-ils jamais à s'installer définitivement là? Six mois de nuit et de torpeur gelée suivis de six mois de soleil qui font éclater les fleurs.

Ils décollèrent, s'engagèrent dans la masse opaque des nuages. Il se mit à rêver. Au-dessous se déroulaient les terres plates et désertiques jusqu'à l'infini. Plus loin, au-delà des marécages cristallisés par le froid, il y a peut-être des vallées protégées aux pâturages verts sous des pics enneigés. Ils devaient se rendre jusqu'à Tuvalik et il ne pouvait s'empêcher d'imaginer le village transfiguré sous le soleil de minuit. Il s'endormit, se réveilla. Il se mit à noter dans son carnet les mots qui lui venaient. Jamais il n'avait écrit de poème.

Ils volaient toujours. Jamais comme ce jour-là, il n'avait eu la sensation de s'en aller hors du temps, en route vers l'au-delà de l'espace.

Tuvalik
sous l'arc-en-ciel
crépite
au chant constellé
de ses glaces fondantes.
Je veux te joindre
ô Tuvalik
passer les mers,
les mers moutonneuses,
écumes de la terre.
Et parvenir là
où les fleurs se courbent
caressées par la
tendresse des vents.

Cythère ne pouvait être là. Il ne se pouvait pas qu'il y eût des terres idylliques et charmeuses dans ce pays de roc noir mangé par les lichens. Pourtant, il imaginait des prairies de marguerites, de verges d'or et de fleurs alpestres. Il avait écrit les mots lentement, alors que surgissaient les images.

Malade!

Il n'y a rien à attendre de ces terres lugubres que les vents disputent à la glace. Il se ressaisit et mit fin à son rêve. De toute façon, il n'était pas dans ses habitudes de se laisser aller. Il ouvrit son porte-document, en tira les rapports préliminaires qu'on lui avait fournis et commença à réviser les données qu'on lui demandait de vérifier.

Il eut subitement mal aux oreilles, un mal violent, comme si on l'ouvrait à vif; l'avion commençait à descendre. On se rapprochait de la destination première: Kuujjuaq. La carlingue n'était pas pressurisée. Il gardait la bouche ouverte et se pressait les mains sur les oreilles. Les yeux fermés par la douleur, il ne réalisa qu'on se posait que lorsqu'il perçut la succession de contrecoups sur la piste graveleuse. On atterrissait.

Il faisait gris dans un paysage rocheux de petites collines basses hérissées de rares épinettes rabougries. Il relut son poème et haussa les épaules en regardant par le hublot. On avait atterri au milieu d'un dépotoir de ferraille et de bidons de fer rouillés. Les alentours de la piste étaient jonchés de milliers de tonneaux d'essence vides, parfois empilés les uns sur les autres. L'homme s'était installé et le pays était maintenant laid.

Ils descendirent. Il était quinze heures. C'était octobre et déjà la nuit tombait. En sortant, un petit vent froid leur cribla le visage de poussière de neige, leur faisant tourner la tête. Il entendit le claquement d'un coup de feu. C'était le pilote qui tirait sur les chiens; il avait déjà été attaqué et, maintenant, il ne les laissait plus approcher.

«Des bêtes féroces», leur dit-il, et il se mit, en marchant, à leur raconter des histoires de femmes et d'enfants dévorés vifs par des meutes affamées, affolées par leur odeur. Partout il y avait des chiens qui gambadaient, des huskies noir et blanc, au nez court et aux oreilles dressées. Personne n'en voulait plus, personne ne les attelait aux traîneaux depuis l'arrivée des motoneiges. Ils erraient, dévorant les déchets qu'abandonnaient les hommes et qu'ils disputaient aux rats, dévorant même les rats. Ils mangeaient de tout, sauf des pierres. Le pilote n'hésitait pas, il ne les laissait pas approcher, il tirait.

L'endroit était irrémédiablement laid. La seule chose à faire ici, c'est un pénitencier. Personne n'arrivera à s'enfuir d'ici, les chiens les rattraperont. Il eut un frisson. La vision du pilote n'était pas réconfortante. Devant le hangar, au bout de la piste, un colosse casqué, botté et ganté de cuir, immense et roide dans son costume réglementaire les attendait, un gendarme de la Sûreté du Québec, massif et moustachu. «Salut, leur dit-il. La soupe vous attend! Un bol de soupe fumante, sûrement l'une des rares sources de chaleur du pays!»

Le policier est le maître des lieux. Il est tout-puissant, immense et seul. Il est là, colossal et sécurisant, rassurant par l'excès de sa taille. Il n'a pas besoin de tirer; quand il est apparu, les chiens ont pris la fuite. Il est ici dans son fief comme un baron médiéval. Personne ne monte ici le lui disputer. Il règne sur tout le pays jusqu'au-delà des terres reconnues, là où les aurores boréales oscillent au-dessus des têtes au gré des incantations de la neige, sur les immensités glacées, rabotées par les déchaînements du vent et les convulsions des fleuves, jusqu'au silence de la banquise. Il n'y a que lui pour oser se risquer seul à pied hors du poste et il est là imposant et affirmé dans son costume sévère. On lui a confié l'administration de ces terres ingrates et il règne, bienveillant, autoritaire et indiscuté.

Il les fit monter dans un véhicule tout terrain, tenant de la motoneige et du tank lunaire garé derrière la dernière pyramide de fûts rouillés. «Bonne traversée?», leur demanda-t-il, comme s'ils avaient franchi les océans au lieu de survoler les terres. «C'est ici le poste!»

Il s'était arrêté devant un grand bâtiment. Une longue bâtisse basse servant de centre administratif, d'hôpital et de poste de police, et qu'on utilisait pour héberger le personnel gouvernemental de passage. Il faisait maintenant totalement nuit. On ne distinguait qu'une grande ombre percée de carrés de lumière, où vibrait une clarté blafarde comme celle des centrales électriques désertes qui demeurent éclairées toute la nuit.

Il arrêta la machine et les fit descendre. Ils passèrent directement à la cafétéria, où le cuisinier leur servit un festin de bienvenue: ils étaient attendus.

«Ici on mange bien et beaucoup! leur dit le policier. C'est la seule distraction de l'endroit. Tout le monde n'est pas présent, ce soir, il y en a qui dorment. Ils sont arrivés à midi d'une tournée dans les postes éloignés, la dernière possible avant la nuit totale, et ils sont exténués: ils n'ont pratiquement pas dormi pendant une semaine. Tous ceux qui le peuvent tiennent à prendre part à ces expéditions. On bouge un peu, on évite l'ankylose et le mal change de place... moi aussi, je suis exténué et vous voudrez sans doute vous reposer... À demain.»

Manger, dormir, se réchauffer, partir en expédition pour se secouer le sang et mettre fin à l'immobilité des membres et de l'esprit. Il est heureux qu'on ne vende pas d'alcool ici. Rien à faire. Pas une rue où se promener. Il est

...e périlleux de sortir, les chiens rôdent. On leur a assigné à chacun une chambre de l'hôpital et ils se sont installés pour lire ou pour dormir.

Le matin, le bruit et le va-et-vient les ont réveillés. Toute la communauté, Blancs et Esquimaux, semblait s'être rassemblée dans l'édifice pour une réunion publique. C'était jour de dispensaire. Les mères étaient là avec leurs petits et tous les vieux étaient venus se faire ausculter et parler de leurs maux. En Blancs supérieurs et affables, ils ne purent s'empêcher de caresser les têtes rondes hérissées de cheveux noirs plantés drus des enfants rieurs. Kuujjuaq n'était qu'une halte. Ils n'allaient pas rester longtemps ici; à peine le temps de rencontrer les chefs de la communauté avant de poursuivre plus loin en pays inuit.

À Kuujjuaq, les Innuktituk ne sculptent pas, ne pêchent pas, ne chassent pas. Depuis que les Américains ont abandonné la base aérienne, il y a dix ou douze ans, ils ne font rien et attendent le retour des hommes bottés porteurs de heaumes. Ils se laissent courtiser par les gouvernements du Québec et du Canada, tâchant de tirer le maximum des deux, et ils réussissent assez bien. Ils se sont regroupés ici pour ne rien faire et passent l'année à guetter l'arrivée des navires qui remontent la rivière; ils font la livraison des chargements de caisses de canettes de bière. Parfois, ils pêchent quelques saumons ou consentent à guider des chasseurs vers les hardes de caribous.

Rien à faire ici. Absolument rien et on les a dégoûtés définitivement de la vie difficile qu'ils menaient auparavant.

Après le petit déjeuner, il visita la clinique puis sortit. Il entra dans le magasin de la Compagnie de la baie d'Hudson et s'amusa à comparer les prix avec ceux de

Québec. Tout coûtait le double mais on pouvait trouver des tomates, des poires et des oranges livrées la veille par avion. Il voulait acheter des sculptures, des peaux de morse brodées ou des dessins. Il y avait quelques peaux de phoque à harpe et des sculptures en stéatite en provenance des Îles Belchers, comme on en trouve dans toutes les boutiques pour touristes de Montréal, mais il ne trouva aucun produit local. Autrefois, on pouvait acheter ici, lui avait-on dit, des pièces en os de baleine, en ivoire de morse ou en massacre de caribou. Aujourd'hui, plus rien.

Il revint au poste. Il lui fallait attendre jusqu'au soir pour tenir la réunion. Il avait demandé pourquoi l'assemblée ne pouvait avoir lieu dans l'après-midi, personne ne semblant occupé. On lui répondit qu'un événement de cette importance devait avoir lieu le soir.

Le temps n'arrivait pas à s'écouler. Ils tentèrent d'organiser une expédition et de traverser le fleuve pour visiter le ranch de bœufs musqués qu'on avait installé à Vieux Chimo sur l'autre rive du fleuve pour éviter au troupeau le harcèlement des chiens, mais on ne les laissa pas s'éloigner. Le mascaret monstrueux qui, deux fois par jour, remonte le fleuve jusque loin à l'intérieur des terres, refoulant les flots descendants, devait déferler vers midi et le chef du poste n'entendait pas les laisser l'affronter. De plus, il y a des troncs qui descendent dans le courant et des mammifères marins qui circulent par bandes et rendent la navigation dangereuse. «... Non, vous êtes en sécurité ici... Vous êtes au chaud et vous n'avez rien à prouver... restez ici!» Il ne voulait pas d'histoires. Il y a suffisamment de problèmes sans qu'il faille en imaginer et en créer volontairement de nouveaux. Comme ils insistaient, il se permit de les morigéner: «Vous n'êtes pas venus ici pour vous amuser et faire du tourisme. Je suis responsable de votre sécurité. Pas question pour un caprice de vous exposer inutilement!»

On a compris. On est retourné lire dans sa chambre et l'après-midi a fini par passer. La pénombre a commencé vers quatre heures. Minuit n'arrivera jamais.

À l'heure du dîner, ils se sont tous réunis et se sont joints aux autres fonctionnaires du Québec réunis dans la cafétéria. Il y avait là des médecins, des infirmières, des policiers, des travailleurs sociaux et des comptables. Tous mangent presque silencieusement. Devant lui, a pris place une jeune femme grande, blonde, forte et sérieuse. Elle était belle et un sourire l'aurait illuminée, mais elle était sévère et soucieuse et ne semblait pas intéressée à converser. Tout autour, on mangeait et on se plaignait. Personne n'acceptait d'être prisonnier de la nuit constante. On ne parlait que de repartir, d'autant plus que les six mois de noirceur commenceraient bientôt. Ils sont tous attablés et parlent du pays:

«… La semaine dernière à Québec…» À Québec évidemment, parce que chaque fois qu'ils le peuvent, ils s'échappent vers Québec, la mère des rêves. Ils font du ski au mont Sainte-Anne, du magasinage boulevard Laurier et vont flirter dans les discothèques de la basse-ville. S'il leur reste du temps et de l'argent, ils s'envolent vers les Antilles et vont se réchauffer à Sosua ou à Cabarete. S'ils parviennent là, il arrive qu'ils s'incrustent sur le sable des plages et ne repartent plus jamais.

«… La semaine dernière à Québec!…» Ils ne tarissent pas… et Varadero et Cancun ou Acapulco… ils vivent dans la nuit, emmitouflés dans les fourrures et rêvent de courir nus sur les plages ensoleillées. Les envoyés gouvernementaux les écoutent et se demandent si le Nord vaut toutes ces dépenses et toutes ces peines. Pourquoi envoyer des gens si loin si on ne peut y vivre? «La Terre Promise sera toujours ailleurs!» proteste-t-il soudainement, se rappelant un proverbe qu'on lui avait un jour servi dans le Sud. Ils l'ont regardé et, sans qu'il ne les entende, il a compris leur silence poli: «Parle toujours, toi qui repartiras demain.»

Les gens sont polis, discrets et muets. À quoi bon parler, de toute façon, ce n'est pas lui qui pourra changer la nature du pays et on ne peut les payer plus qu'ils ne reçoivent, c'est déjà très généreux... on pourrait leur accorder plus de permissions de séjour dans le Sud, peut-être. En haut lieu, on est déjà bien informé de ces revendications.

«Vous êtes bien rémunérés, vous êtes logés et nourris, vous épargnez tout ce que vous gagnez, ou presque, et vous pouvez vous payer des compensations que bien peu peuvent s'offrir...»

C'est vrai. Ils se taisent et le laissent parler. La conversation tourne court. Un autre qui a raison et qui n'a rien compris. Il s'excuse, se lève et quitte la table. Il n'est pas venu ici négocier des conditions de travail, il est monté ici comme un intendant en visite dans une province éloignée, venu s'assurer que l'autorité de l'État qu'il représente est reconnue et respectée.

On venait d'ailleurs le chercher. «C'est prêt, tout le monde est là, on vous attend», haletait son assesseur. Il était heureux de pouvoir partir et satisfait qu'un autre justifie son départ.

«J'arrive», fut-il heureux de dire.

Il allait donc présider l'assemblée et permettre pour la première fois à des gens, les plus intelligents peut-être des êtres primitifs de la planète, de s'exprimer et de donner leur opinion sur le partage et la domination du monde. Jamais, nulle part, on ne les avait consultés. On ne leur avait même pas demandé s'ils acceptaient ou refusaient que d'autres s'établissent parmi eux, leur imposent le respect des lois, dont ils s'étaient jusqu'alors aisément passés, et modifient à jamais leur mode d'existence. On ne leur avait même pas offert, comme il est arrivé ailleurs, de la verroterie ou des miroirs en échange de leurs droits sur leurs terres. On agissait avec eux avec respect et estime.

Le constable gigantesque les fit entrer dans la salle. À son arrivée, tout le monde se leva. Le commissaire se rendit au siège qu'on lui avait réservé derrière une longue table qui faisait face à l'assistance. Il salua l'assemblée, pria les gens de s'asseoir et prit place. Le délégué économique était assis à sa gauche. Il pouvait l'informer sur tous les coûts du territoire. Il connaissait les recettes et les déboursés, les richesses, le potentiel, les ressources et les besoins du pays. À sa droite, sûr de sa science, trônait l'attaché culturel. Mieux que les Inuit eux-mêmes, il connaissait l'origine et la signification de leurs traditions, la structure et les racines de leur langue. De l'autre côté de la table, un religieux de la communauté des Oblats s'était assis. Il devait servir d'interprète. En trente ans d'apostolat sans défaillance, il avait à son crédit une dizaine de conversions. Le révérend Andrew McFarlane était là, lui aussi, accompagné de son épouse, correspondante officielle du *North Star*, l'imprimé anglophone des pays de l'extrême nord. Le révérend était le pasteur anglican de la région. Il tenait à être présent et à entendre ce qui se dirait ici ce soir. Ce n'était pas un chaud partisan de l'implantation du Québec. Il aurait préféré que le gouvernement canadien, avec ses fonctionnaires anglophones unilingues, continue à s'occuper de tout. Pour l'amadouer un peu, et aussi par respect pour lui, parce que c'était un homme dévoué, on avait songé à lui demander d'assurer la traduction. La majorité des témoins appelés à témoigner étaient ses paroissiens. Sur ce côté-ci de la baie, les Anglais étaient arrivés les premiers et commerçaient avec les Inuit depuis le temps de Henry Hudson. Il eut été normal qu'on fît appel à ses services. Malheureusement, s'il était bilingue, c'était dans le sens anglais-esquimau. Il ne savait pas un mot de français et il était exclu que la séance se déroule en anglais, on lui avait cependant demandé d'agir à titre de conseiller de la commission.

Les gens continuaient à arriver et les chaises libres se faisaient rares. Il n'y aurait pas beaucoup d'absents ce soir. C'était un événement qu'on ne devait pas manquer, une première. Des groupes s'étaient spontanément constitués. D'un côté les Oui-Oui, les Français, comme les appelaient les Inuit. C'étaient les fonctionnaires du Québec et les instituteurs, les mécaniciens des lignes aériennes. De l'autre côté, il y avait les Gros-Sourcils, les Anglais, selon l'appellation esquimaude. C'étaient principalement des employés du poste de traite de la *Hudson's Bay* et des fonctionnaires fédéraux en charge du centre de météorologie et de communication. Entre ces deux groupes, il y avait les Hommes, les Inuit, ou plus correctement au pluriel les Innuktituk. C'est le nom qu'ils se sont réservés et qu'ils revendiquent pour eux seuls.

Les hommes semblent amusés et se demandent ce que les autres peuvent leur vouloir. Ceux qui seront appelés à parler, à cause de leur gêne ou parce qu'ils ont le sentiment de leur importance, restent impassibles et ne conversent pas avec les autres. Ils attendent avec dignité qu'on les appelle, que les laissent parler ces hommes sévères, sérieux, sachant compter et ne sachant pas rire, qui les ont convoqués.

Le premier témoin s'aproche: Jérémie Dupont.

«Dupont! s'étonne le commissaire qui se penche vers le révérend McFarlane pour lui demander ce qui se passe. Comment un Inuit peut-il avoir un nom de famille français? Un souvenir de la présence de Revillon Frères, une compagnie française qui concurrençait la *Hudson's Bay*, explique le pasteur. Les autres s'appellent parfois Mc-Kenzie ou Campbell. Les Esquimaux tenaient à renóuveler le sang, croit-il bon d'ajouter comme pour les excuser.»

Jérémie s'est avancé. Il est grand, plus grand que les autres. Sa stature s'explique peut-être par son ascendance, comme s'expliquent aussi peut-être sa forte barbe et la moustache très noire qui accentuent les traits mongoloïdes de son visage. Les autres sont plutôt glabres et courts, lui a l'aspect d'un samouraï ou d'un cavalier de Gengis Khan. Jérémie prête serment et s'assoit. Comme la grande majorité des autres, il est protestant et ne dit pas un mot de français. Il ne connaît de l'anglais que quelques phrases, juste assez pour commander à boire ou à manger et négocier le prix des cartouches. Le missionnaire commence à traduire les questions et les réponses qu'un sténographe note au fur et à mesure.

— Monsieur Dupont, vous êtes né dans ce village?

— Je le suppose. Je ne m'en rappelle pas et on ne me l'a pas dit. Je suis peut-être né ailleurs, je ne l'ai jamais demandé.

— Vous avez cependant toujours habité ici?

— Ici et aux alentours. J'ai souvent habité au loin.

— Vos parents aussi sont nés ici ou aux alentours?

— Ma mère oui. Mon père vient d'ailleurs. Il y est retourné. C'était un Oui-Oui.

— Vous connaissez bien les gens d'ici et vous savez ce qu'ils pensent?

— Je sais ce qu'ils me disent ou ce qu'on me dit qu'ils pensent.

— Pensez-vous qu'ils disent ce qu'ils pensent?

— Quand cela fait leur affaire.

— Les gens sont-ils heureux?

— Il y a des jours où on est heureux, d'autres où on est malheureux.

— Quand êtes-vous heureux?

— Quand on est au chaud, qu'on a à boire et à manger et qu'il ne faut pas travailler trop dur.

Se penchant vers le missionnaire, il ajouta à voix basse quelques mots que le prêtre traduisit de la façon suivante:

— Il a cru bon d'ajouter: quand sa femme sourit et ne le dispute pas trop!

— C'est aussi une condition essentielle au bonheur, commenta le commissaire. Quel est votre travail? continua-t-il.

— Celui que je trouve ou qu'on me demande d'exécuter.

— Qu'est-ce à dire?

— Parfois, je chasse le caribou ou le phoque. Parfois, je pêche au filet quand le saumon remonte les rivières. Il arrive aussi que je pêche l'omble dans les lacs. Je travaille aussi pour les gouvernements, les compagnies ou les chasseurs de caribou qui montent ici.

Il y eut une pause, le commissaire réfléchissant pour bien formuler la question qui allait suivre, puis celui-ci demanda: «Monsieur, il y a le pays, ici. À qui appartient-il? Qui doit le diriger, comment doit-il être dirigé?»

Jérémie regardait en souriant le commissaire. Il était surpris et amusé qu'on lui pose une question aussi imprévue qu'idiote, puis lentement, se mit à expliquer, comme s'il réfléchissait tout en parlant.

— Le pays ne nous appartient pas, c'est nous qui appartenons au pays. On ne peut pas diriger le pays, c'est le pays lui-même qui commande aux Hommes. C'est le pays qui veut et qui décide et les Hommes, les bêtes, les poissons et les plantes obéissent au pays; ils ne peuvent pas faire autrement, c'est le pays qui les a créés et qui leur dit comment vivre.

On ne peut habiter au sommet des montagnes, il y fait trop froid. Le pays veut que les montagnes appartiennent au froid. Si nous ne lui obéissons pas, il nous tue.

Les phoques sont dans la mer, parce que le pays les veut là.

Quand les caribous sortent des marécages et montent vers le nord, vers les herbages et les lichens, ils lui obéissent aussi et nous l'écoutons quand nous allons à leur rencontre.

Les saumons aussi, quand ils remontent vers les sources des rivières pour frayer. Nous aussi, nous l'écoutons quand nous nous rendons là où les saumons vont.

Quand l'hiver la mer veut que nous chassions le phoque, elle se couvre de glace et nous permet d'atteindre les trous où ils vont respirer.

Nous appartenons au pays et c'est lui qui nous dirige. Il n'est pas possible d'agir autrement. Mêmes les oiseaux, qui sont plus indépendants que nous, lui obéissent: ils partent vers le sud.

Les Blancs discutaient et chuchotaient entre eux. Respectueux de ce qu'avait énoncé l'Homme, le commissaire dit à l'interprète: «C'est une question complexe et difficile pour lui. Vous êtes certain qu'il en a bien compris le sens?»

— Je lui ai bien expliqué. J'ai utilisé des mots et des termes qu'il comprend et je lui ai demandé s'il saisissait bien. Il m'a affirmé bien comprendre et c'est la réponse qu'il a donnée.

— Alors, nous allons procéder autrement.

Le commissaire déposa son stylo, réfléchit un peu. Jérémie attendait. Puis, les questions vinrent: «Monsieur, le pays ici, à qui appartient-il? À vous, à nous, à qui? Qui a le droit d'être ici?»

L'homme hésita, puis sourit: une autre question inutile et vide de sens venait de lui être posée. «À nous», répondit-il.

— Qui, nous, aux Inuit?

— À vous, toi, monsieur. À moi, à lui, dit-il en montrant le prêtre, puis il se tourna et pointa le révérend: À lui, à lui, à lui, et il pointait tous les gens dans la salle.

— Le pays est à tous!

— À tous ceux qui sont ici et que le pays veut puisqu'ils sont ici.

— Et la mer?

— Elle est aux poissons et aux phoques. Je ne peux y vivre, vous non plus. On peut aller dessus en bateau si elle veut bien. Là où vous êtes sur la terre, là où vous êtes sur la mer, la terre et la mer vous appartiennent parce qu'elles acceptent que vous y soyez. Si la mer ne veut plus de vous, vous périssez, si la terre ne veut plus de vous, elle vous chassera ou vous fera mourir.

— Mais si d'autres que nous viennent ici, s'ils arrivent de loin, pourront-ils aussi posséder la terre?

— Si la terre les veut, ils viendront et nous n'avons rien à dire. Vous êtes venus et nous n'avons rien dit.

— ... mais les Indiens?

Le commissaire posa cette question insidieuse connaissant la révulsion des Hommes pour les Indiens.

— Ils sont venus ici et ont voulu nous chasser, alors le pays s'est chargé d'eux et ils ne sont pas restés.

Le commissaire en prenait note. L'Homme ne lui faisait pas la leçon, il lui donnait des réponses merveilleuses qui lui venaient naturellement. Il tira une cigarette, ce qui normalement n'est pas permis. À ce signal, les autres firent de même. Il alluma sa cigarette et se mit à écrire tentant de résumer ce qu'il avait entendu et d'en tirer toutes les conséquences et la signification. Griffonnant, il se surprit à écrire:

Tuvalik

sous l'arc-en-ciel

crépite

au chant constellé

de ses glaces fondantes.

Il s'arrêta, se ressaisit, leva la tête et sourit à l'Homme. «Merci, lui dit-il. Merci beaucoup.»

Il ne savait pas pourquoi il le remerciait. Il ne savait même pas quoi penser. Il était troublé, confus et gêné.

Tous les autres répondirent de la même façon que Jérémie.

— Pas grand-chose à tirer de ces gens, lui murmura son assesseur.

Toi, tu n'en tireras sûrement rien, comme on ne peut rien tirer de toi, fut tenté de lui répondre le commissaire.

Retour à l'isle Première

Il y a les Normands et il y a les autres, tous les autres! Au Québec, on se prétend généralement normand.

Ma mère est une Taillefer. Les Taillefer, gens de fort tempérament, entiers, volontiers emportés, le sont indubitablement. Le premier coup de la bataille de Hastings fut porté par un Taillefer, le saviez-vous? Vous ne le croyez pas? Alors, demandez à un Anglais, à n'importe quel Anglais; ils s'en souviennent tous. C'est d'ailleurs écrit dans tous les vieux livres qui racontent la bataille.

C'est insulter les Taillefer que de mettre en doute leurs origines normandes.

Ils descendent des Vikings, c'est acquis. Comment autrement expliquer cette propension de certains d'entre eux à lever subitement l'ancre et à instantanément changer de paysage? Pour un oui, pour un non, ils hissent la voile et partent ailleurs voir s'il y fait plus beau. Il n'y a rien d'héroïque dans cette démarche; ils en ont vite assez, c'est tout. Ils se tannent vite.

«Bonjour, à bientôt, peut-être!» On ne reverra plus celui qui vient de vous saluer. Il a quitté. Il a changé de pays, de langue, de religion, de femme. Il ne faut pas hésiter à partir quand rien ne va plus. Depuis mille ans, combien de terres les Normands ont-ils délaissées, de la Norvège à la Normandie, en passant par l'Irlande et les îles Faeroe et Orkney? Et, ici même, toute l'Amérique les a vus défiler, de la baie d'Hudson au golfe du Mexique, de l'Acadie aux Rocheuses. La race des vagabonds normands.

Ils en ont vite assez et, comme ils sont obstinément optimistes, ils repartent ailleurs recommencer là-bas, ce qu'ils faisaient ici. Ils trouveront bien, un jour, ce qui leur convient parfaitement; le paradis est une île qu'on finit par découvrir. On arrive, on s'installe, trois générations plus tard, le défrichement terminé, le sol ameubli, l'ordre établi, il est temps de décrocher à nouveau et d'essaimer.

Il y en a cependant qui ne changent jamais. Les Taillefer ne sont pas restés longtemps sur l'archipel des premiers ancêtres. Les Soliveau, un beau nom stable qu'on ne rencontre presque plus, y ont abordé aussi et y sont demeurés. Eux restent. Rien ne les fait plus bouger. Les Soliveau sont toujours là.

Ils remercient Dieu au soleil levant et sortent prendre soin de leurs bêtes. Ils ne veulent rien savoir de ce qui se passe en dehors de leurs îles. Ce sont des réfractaires qui défendent leur paix. Ils sont étrangers aux grandes querelles meurtrières. Ils veulent qu'on les laisse regarder pousser leur blé en paix et qu'on les oublie. Si on les inquiète, ils se mettent à creuser et disparaissent dans le sol. Ce sont des fouisseurs.

La traversée fut longue quand les Taillefer, les Soliveau et les autres sont venus en Amérique sur ces frégates qui penchaient sous le vent. Il était malaisé de vivre sur les ponts obliques et glissants, et la première île en vue a été la bienvenue. Ils y débarquèrent et les Soliveau y sont toujours.

Les arrivants se sont établis dans l'archipel, une famille par île, libres, indépendants et soucieux de ne pas avoir de voisins incommodants. Il leur importait également d'être loin des autorités civiles et religieuses. Dans son île, le chef de famille était le seul maître.

Les Soliveau se sont agrippés à leurs îles, et jamais on n'a pu les en arracher. Toutes les familles ont de ces cousins attachés au passé qui, quand la tribu lève le camp, restent derrière, comme des bernacles incrustées à leurs rochers. La migration a laissé derrière elle des constellations d'îlots repères, où des délaissés fidèles et irréductibles montent la garde du souvenir.

On les visite parfois, pour voir s'ils sont toujours là, pour s'assurer qu'ils n'ont pas changé d'idée et pour soi-même se rappeler d'où l'on vient. Il convient qu'il y en ait qui restent.

Quand les Taillefer ont quitté l'archipel, le chef de famille n'a pas tout vendu aux cousins Soliveau. Il a conservé la propriété de deux îlots, les Jumeaux, situés dans le prolongement de la pointe occidentale de l'isle Première.

L'isle Première a été ainsi baptisée par Cartier, en 1536, parce que, la première de toutes les îles de l'archipel, elle surgit des flots, jaillissant des vagues et des marées, et vient au-devant des arrivants comme pour s'offrir à eux. Elle apparaît si brusquement dans les échancrures de la brume qu'il faut sans hésiter virer de cap et jeter régulièrement la sonde pour éviter les écueils qui la protègent vers l'est. Elle apparaît du large comme une boule ronde hérissée de pointes, telle une masse d'arme. Les épinettes et les sapins noirs qui occupent ses hauteurs lui donnent de loin cette apparence. Passé ces monticules boisés, l'île s'allonge vers l'ouest en de longues prairies qui se continuent en un pré salant, refuge des oies blanches.

Quand un grand-père Taillefer a vendu l'isle Première aux Soliveau, vers 1820, il fut entendu qu'il pourrait revenir chasser l'oie avec ses fils, et qu'après lui ses fils auraient le même droit, puis leurs fils à eux. Je tiens mes droits de ma mère qui est une Taillefer. Les Taillefer, après avoir vendu, se sont installés à l'île d'Orléans, qu'ils ont quittée pour la Canardière, près de Beauport. De là, ils sont repartis vers l'isle Jésus. Malgré ces errances, ils sont toujours restés attachés à la première terre qu'ils ont occupée en ce pays et, année après année, ils n'ont pas manqué d'y retourner comme des saumons fidèles qui remontent jusqu'à sa source la rivière natale.

C'est à moi qu'appartiennent maintenant les islets Jumeaux. Mon grand-père Taillefer qui m'aimait bien et qui ne se reconnaissait qu'en moi, me les a légués à charge de les rendre à mes fils. Il me transmit ce bien par donation sous seing privé. C'est un contrat rituel et solennel. Le grand-père a recopié textuellement l'acte qui lui conférait son propre titre. «Un tabellion n'aurait pas mieux stipulé», commenta en rigolant le conservateur des actes lorsque je lui ai présenté le document pour insinuation. C'étaient assurément de vrais Normands, les Taillefer; ils s'y connaissaient en précautions juridiques. C'est un texte complexe, pour une si petite étendue de terre. Il est rédigé dans une langue désuète et prudente. Il comporte cession de droits avec droit de résolution en cas d'inexécution des obligations, prohibition d'aliéner et création d'une substitution fidéicommissaire. «Vous vous préoccupez vraiment des siècles à venir dans votre famille!» s'exclama le registrateur.

Qu'importent ses sarcasmes, la pérennité est assurée et les îlots aux oies sont maintenant aux Chrestien.

Bon an mal an, comme les oies blanches qui n'ont jamais cessé de revenir malgré les coups de feu qui les attendent, je descends le fleuve jusqu'à l'archipel avec mes fils en âge d'épauler le fusil et je chasse avec les Soliveau, les 15, 16, 17 et 18 octobre de chaque année, quelles que soient les conditions atmosphériques, économiques et politiques. Plus elles sont mauvaises, moins il y a de chasseurs, meilleure est la chasse. Octobre 1970, sous ce rapport, fut une grande année.

Ces dates sont les meilleures de la saison. Les grands voiliers d'oies arrivent exténués, l'une ou l'autre de ces quatre journées. Leurs silhouettes se profilent, scintillantes, comme des paillettes de neige devant le mur sombre des grands rochers de la rive nord du fleuve. Elles arrivent, criant de joie, et se jettent affamées sur les champs de carottes marines. Elles n'ont rien mangé depuis l'Arctique et ont volé sans arrêt, profitant des vents favorables qui descendent du nord. Depuis l'île Bylot, couverte de prairies alpestres et de glaciers éblouissants, elles volent en longues formations disciplinées, chaque oiseau à sa place dans les longs V hurlant qui s'appellent d'une compagnie à l'autre en progressant.

Quand les champs de vase apparaissent, les vieux jars sévères n'arrivent plus à maintenir l'ordre et, bientôt, les voiliers chavirent, se débandent et se désagrègent. Les jeunes oies gloutonnes s'esquivent pour se laisser glisser vers les bancs herbeux où d'autres bandes se sont déjà posées.

La première année où je me suis présenté, les Soliveau ont hésité. Ils me connaissaient. J'étais déjà monté là avec mon grand-père mais je n'étais pas moi-même un Taillefer et, même après leur avoir exhibé mon contrat portant certificat d'enregistrement, ils n'étaient pas certains de mon bon droit. Il a fallu que je me rende aux islets, que j'aborde sur le plus grand des deux, où il y a l'abri sous lequel on se réfugie en cas de mauvais temps. Rendu là, j'ai fait sur la grève un cercle avec des cailloux, j'ai entassé une pile d'éclats de cèdre et j'ai mis le feu.

Alors, seulement, le père Soliveau m'a cru. Il a fallu que je répète ce geste, lequel n'a plus de sens pour moi, pour pouvoir le convaincre. Quand j'ai mis le feu, il s'est écarté, se tenant en retrait de nous, il s'est signé superstitieusement comme pour conjurer le retour sur l'archipel de tous les Taillefer qui y ont vécu.

C'est le geste de la prise de possession et de l'affirmation du droit de propriété: tenir feu et lieu. Il faut allumer le feu, puis consolider les soutiens du toit de l'abri afin qu'il résiste un an de plus au temps, au vent et à l'hiver; alors on reconnaît. Depuis ce premier jour, chaque année, je répète le rituel et je suis chez moi.

— On couchera ici, ce soir! me dit, cette année-là, l'aîné des Soliveau.

— Ici?

— On ne peut pas descendre à l'isle Première, cette année.

Avec la tête butée qu'il fait, il vaut mieux pour l'instant ne pas poser de question. Il doit y avoir une querelle de famille en marche. L'île appartient officiellement à l'un des frères du guide, et même si tous sont censés y avoir accès, il se peut que cette année, il fasse des difficultés. La vie de famille comporte ses périodes de crises.

Coucher aux islets! En quinze ans, je n'ai couché ici qu'une fois. C'est minuscule. C'est tout juste bon pour se mettre à l'abri quand il pleut et manger. C'est à peine un refuge.

J'aime de moins en moins la chasse à l'oie. Je déteste l'effort et le risque que comporte l'expédition. Plus il vente, plus il neige, plus il pleut ou grêle, meilleure est la chasse. Quand les nuages courent au ras des rochers et que le fleuve écume, que la première neige fuit dans le vent, les oies volent, se déplacent, voyagent et c'est alors qu'on peut les attirer en les appelant. On les fait descendre, puis on les tire au vol, levés, debout dans la cache comme pour les honorer.

Si je persiste à revenir ici, c'est pour maintenir et transmettre.

Il faut passer des bras de mer périlleux et aller se poster sur les écueils ou s'installer dans les longues prairies vaseuses. On creuse des trous, on se cale et, quand la marée monte, il faut se dépêcher de s'en extraire. On s'enfuit alors difficilement; il faut marcher dans la vase qui aspire les bottes. On glisse, on tombe dans la boue.

Je déteste l'effort que m'impose cette chasse, mais Soliveau et moi sommes les derniers à savoir chasser comme les anciens. Ceux d'aujourd'hui ne savent plus appeler l'oie. Ils utilisent des sifflets *made in U.S.A.* qui font fuir les oiseaux et des appeaux de matière plastique qui reflètent le soleil. Avez-vous déjà vu briller un jar? Les oies étonnées descendent voir ce qui se passe, puis elles remontent d'un coup d'aile et on les entend rire de haut quand elles passent hors de portée, les vieilles toutes blanches morigénant les jeunes qui sont descendues voir ça de près.

Je monte ici pour montrer à mes fils comment se pratique cette chasse. Tant qu'ils ne pourront pas monter seuls, je monterai avec eux, puis ce sont eux qui peut-être me ramèneront: «Allons, papa, il ne faut pas abandonner», me diront-ils. Puis ils s'amuseront à annoncer: «… Trois heures… deux blanches qui montent au ras des vagues…» Les voiliers montent de l'est.

Quand donc viendra le temps où mes fils s'occuperont de moi? Ils se chargeront alors de moi comme j'ai pris soin d'eux, et je serai choyé. Ils nettoieront mes fusils, achèteront les provisions, chargeront la voiture, conduiront… moi je les laisserai me dorloter. On me descendra sur un îlot, avec une chaise pliante et un lunch pour le midi. On m'installera au soleil et je lirai tranquille devant le plus beau paysage du monde. Devant moi, la mer, les caps, les îles, les falaises de la côte, les battures et les longs voiliers disciplinés qui remontent le vent. Je m'endormirai paisiblement et Dieu sera là, à côté de moi, pour me tenir compagnie et s'assoupira, lentement, lui aussi. Il n'y aura plus que le soleil, le ciel bleu et quelques nuages paresseux qui ne se donneront même plus la peine de flotter et disparaîtront complètement. Sur l'îlot, il y aura dix arbres, du varech, une prairie douce et un homme qui dormira, son livre sur les genoux. Ce jour viendra.

On ne chasse pas sur les islets, il y a à peine assez de place pour y installer une chaise longue. C'est à l'isle Première qu'il faut aller, c'est là que les voiliers d'oies s'abattent. Pourquoi ne peut-on pas y aller? Est-ce fini? L'île est-elle maintenant interdite?

— L'île a été vendue, on ne peut plus y débarquer ni coucher dans la vieille maison, annonça Guillaume Soliveau.

— Vous avez vendu l'île! Pourquoi ne pas m'en avoir parlé. Vous aviez besoin d'argent, je vous en aurais trouvé.

— C'est Eustache, mon frère aîné, qui a vendu l'île.

— Eustache a vendu et est parti! Où est-il rendu maintenant?

— Il est toujours là. Pour cinq ans encore. Il demeure le gardien, mais il ne peut laisser personne y aborder. S'il laisse quelqu'un descendre et coucher dans la maison, on le chassera. C'est une clause du contrat de vente.

— À qui a-t-il vendu?

— À des gens de Toronto et de New York. Ils se sont formés en compagnie et ont acheté l'île pour l'avoir à eux. Eux seuls maintenant peuvent venir y chasser.

Eustache a vendu la maison de famille où les Soliveau habitaient depuis 1820, que les Taillefer avaient auparavant habitée depuis 1680. La vieille maison construite comme un navire, avec des tenons et des chevilles de bois, n'est plus propriété de famille! Un désastre!

Ces Saxons offrent de l'or, de l'or à pleines mains. Ils vous sortent ça de leurs poches et vous le brandissent devant les yeux. Vous ne croyez pas qu'en un seul moment, alors que la vie toujours a été si dure et si maigre, vous pouvez enfin tenir tant d'or. Voilà que, soudain, on vous donne de quoi vous asseoir et souffler un peu. Vous pouvez enfin vous étendre au soleil et regarder les oies passer.

Ils ne vous chassent pas du paradis. Ils vous tassent un peu. Vous pouvez rester là. Même qu'on vous paie pour rester et protéger l'île contre ceux qui n'ont plus droit d'y aborder, vos parents, vos amis, vos fils. On vous paye pour surveiller. Vous pouvez chasser, couper le foin. Si vous le désirez, pendant l'été, vous pouvez même habiter la vieille maison, mais vous y demeurerez seuls, vous, votre femme et vos enfants mineurs.

«Monsieur Chrestien, vous ne semblez pas vouloir coucher aux islets, préféreriez-vous dormir sur le bateau? Il y a de la place dans la cabine.» Je n'aime pas l'idée! C'est la première fois que je ne coucherai pas dans la vieille maison. Je n'aime pas dormir sur le bateau agité par les courants et les marées. Soudainement, je hais les oies, je hais la chasse et la nuit sifflante et furieuse qui se prépare. Comment dormir alors que le bateau ancré sur les roches glissantes se débat au bout de sa corde? «Il n'y a pas de crainte, le mouillage est bon devant la vieille maison.»

Ce fut vrai. La nuit fut calme et paisible, tout juste un profond bruit sourd me réveilla-t-il vers trois heures du matin. La mer était à son plus bas, la quille venait de heurter le fond et la barque se mit à gîter un peu; elle se plaça et je me rendormis. Le fond bourbeux avait reçu la coque et elle reposait, puis la mer recommença à surgir et, quand le soleil se leva, tous les champs de joncs étaient noyés.

Comment Soliveau a-t-il pu naviguer jusque-là et s'ancrer en pleine nuit. Il s'était avancé à la sonde dans le chenal de l'anse. Depuis qu'ils sont là et que leurs pères leur enseignent les passes, les Soliveau savent gouverner en devinant les ombres et en questionnant les fonds. Ils connaissent bien ce qui était leur terre promise. Il ne faut pas tenter de faire parler Guillaume Soliveau de la vente, ce serait indiscret. Ce matin-là, il s'est levé tôt et est monté sur le pont. À deux ou trois cents pieds, il y a une autre barque, pareillement ancrée, puis, une troisième… deux de ses frères ont passé la nuit là, eux aussi. Ils ne peuvent pas descendre à terre, eux non plus.

Quand je suis sorti de la cabine, Guillaume Soliveau m'attendait.

— Monsieur Chrestien, il faut que je vous le demande... Vous ne me passeriez pas vingt mille piastres pour racheter l'île.

— N'importe quand je te prêterai vingt mille dollars, veux-tu un chèque?

Jamais Guillaume ne put racheter l'île pour vingt mille dollars! On en voulut trente. Quand il offrit trente, on lui en demanda cinquante...

Chaque année, pour maintenir la tradition, je descends aux iles Jumeaux y allumer mon feu de cèdre et Guillaume Soliveau m'attend au quai de la rivière Blanche. Le soir, ses frères, comme des papillons attirés par la même lumière, se ramènent au mouillage de la maison, maintenant toute éclairée par l'électricité des génératrices.

Sur l'île, Eustache balaie le perron de la vieille maison. On n'aborde plus sur l'île, elle est maintenant aux étrangers et quand vous leur cédez votre bien, jamais plus vous ne pouvez le ravoir et vous tournez autour sans fin ni espoir.

La petite culotte rose de madame

À Irène Crête

C'est à la fin de l'hiver que je descends sur la côte. Je suis alors l'un des rares pensionnaires de l'auberge. La Gaspésie est déserte en hiver, et c'est à tort. La neige recouvre ses laideurs et redonne leur dignité aux villages ruinés par la faillite des pêcheries. Les gens du pays, restés entre eux, vous traitent comme l'un des leurs. Je descends vers Gaspé en avril quand le soleil est dans toute sa force et que les dernières chutes de l'hiver ont renouvelé la blancheur de la neige. J'arrive avec mes skis, mes pinceaux, quelques livres et une très bonne bouteille de cognac.

La bouteille est pour Madame, l'aubergiste. Elle ferait de la basse tension et son médecin lui aurait conseillé de prendre quelques gouttes de cognac le soir avant de se coucher. Elle prend sa médecine avec beaucoup de plaisir, en fermant les yeux. Il n'y a pas de faute, c'est une ordonnance, et elle est très heureuse d'avoir à se soigner. Avant de quitter Montréal, je téléphone pour m'assurer qu'elle est là, que l'auberge est ouverte et qu'elle peut me recevoir. Je ne veux pas la prendre au dépourvu. Elle peut donc se préparer, faire quelques provisions et réchauffer la chambre qu'elle me réserve.

— Madame votre épouse vous accompagnera-t-elle? me demande-t-elle.

— Non, cette année, elle descend en Floride avec notre fille.

J'arriverai seul. Je ne supporte le soleil du Sud qu'en automne; alors, j'en ai même besoin. En mars et en avril, le soleil du Sud est trop fort pour moi. En Floride, le soleil du printemps brûle, alors que chez nous, il réchauffe. Le Québec est alors dans toute sa splendeur. Le matin, je chausse mes skis et je pars en expédition. Vers midi, je reviens déjeuner, puis après une courte sieste, je m'installe pour lire. Vers la fin de l'après-midi, je sors marcher un peu. Le soir, je regarde la télé et me couche tôt.

Au printemps, je suis généralement le seul client de l'auberge. Ma chambre est la plus grande, celle qui a vue sur le fleuve. C'est une pièce solennelle que Madame n'offre pas aux voyageurs de passage, ceux qui arrivent le soir sans prévenir et reprennent la route tôt le lendemain. Le décor est ancien: une cheminée, des rideaux de guipure passés de mode aux fenêtres et, sur le lit, d'épais édredons floconneux. On n'y habite que par faveur.

Madame n'est pas une véritable aubergiste. Elle a hérité cette grande bâtisse de son mari. C'était autrefois, lorsque les Gaspésiens pêchaient encore, naviguaient, cultivaient et montaient au bois, un établissement achalandé. L'été, quelques touristes s'y arrêtaient, mais c'était surtout une halte de marchands et d'agents de commerce. Ils s'y rencontraient pour échanger des informations. Il y avait là un bar fréquenté par les gens de la place qui s'y révélaient leurs secrets. L'auberge aurait même été un lieu de rendez-vous de contrebandiers quand florissait le trafic de l'alcool avec Saint-Pierre et Miquelon.

La mode de ce genre d'établissement a passé. Son mari, qui avait prêté de l'argent à l'hôtelier, dut accepter l'hôtel en paiement de sa créance. Il n'avait aucune intention de relancer le commerce et n'arriva pas à revendre l'immeuble. Il ne trouva pas le moyen d'en disposer et l'entretien des lieux lui coûtait cher. Elle passa là par hasard et décida de s'y installer pour la belle saison. Ils n'avaient pas d'enfant. Elle invita ses neveux et nièces avec leur famille et cette invitation devint coutume. Ils arrivaient chacun à tour de rôle, s'installaient pour trois semaines ou un mois, et la maison restait pleine de la mi-juin à la fin août.

En septembre, elle fermait l'eau et l'électricité, mettait des boules à mites dans les tiroirs, des trappes à souris dans tous les coins et la clef dans la serrure. Elle revenait à Montréal et, pendant l'hiver, un engagé surveillait le domaine. Une fois par semaine, il en faisait le tour et s'assurait que tout était en ordre. Les temps durs venus, il pelletait les galeries et les toits. En mai, il faisait aérer les chambres pour le retour de Madame au début juin.

Quand son mari mourut et qu'elle se retrouva seule, elle continua à recevoir la famille. La présence de tout ce monde lui était devenue indispensable. Les enfants cependant vieillissaient et ne trouvaient plus leur plaisir à s'installer si loin de tout, à ne faire que pêcher et regarder leurs cerfs-volants voler dans le ciel. La maison menaçait de se vider. On se faisait prier pour y venir. C'est alors que Madame décida de rouvrir l'auberge comme pension de famille. C'était une façon d'offrir du travail aux enfants et de les retenir pour quelques années encore. Les filles travaillaient comme serveuses et femmes de chambre, les garçons servaient d'hommes à tout faire. Elle engageait une cuisinière et, tout l'été, c'était plein. Elle payait généreusement son monde dans l'espoir de les voir revenir l'année suivante. Elle ne restait donc pas seule. Elle rendait service et se plaisait à les avoir autour d'elle. À l'automne, elle retournait à Montréal et, de là, participait à la grande migration vers la Floride. Dans les premiers temps, elle s'installa à Boca Raton dans un appartement que son mari lui avait légué. Rapidement l'atmosphère de mouroir de la région la déprima. Chaque jour, elle apprenait un nouveau décès chez ses voisins. Passer l'hiver à Boca Raton c'était, disait-elle, comme vivre à la porte d'un cimetière. Chaque jour, on voit défiler les cortèges.

Elle vendit l'appartement et commença à voyager dans les îles. Elle séjourna d'abord dans les Bahamas, où la véhémence des Noirs l'effraya. Elle descendit alors en Guadeloupe, là où, au moins, ils parlent français. C'est là qu'elle subit un typhon qui la chassa définitivement des Antilles. Elle revint au pays à la mi-décembre, ouvrit l'auberge et invita la famille pour le temps des Fêtes. Lorsqu'ils repartirent, elle resta seule. Elle alluma son enseigne, éclaira quelques chambres pour montrer qu'elle était là et attendit la clientèle.

Elle passa tranquillement l'hiver avec, parfois, un client ou deux. Le printemps reviendrait un jour et, avec lui, les oiseaux migrateurs, les touristes et ses jeunes parents qui viendront égayer son été.

Elle était heureuse et sereine et, quand j'ai découvert son établissement, je devins un de ses fidèles. Je ne tiens pas à dévoiler l'endroit de son refuge, c'est mon secret et le sien.

Arriva là, un soir d'avril, vers cinq heures de l'après-midi, en agréable compagnie, Louis-Arthur Tousignant, commis voyageur par choix et par métier, travaillant principalement pour lui-même mais toujours avec profit et avantage. On l'accompagnait. Il n'arrivait pas seul. Quand il signa le registre, il inscrivit: M. et Mme L. A. Tousignant. Il prenait un risque. Pourquoi, si on a des amours secrètes, tenter de les cacher dans un endroit aussi dépourvu que ce village: aucun restaurant, pas de discothèque, pas de cinéma dans un rayon de cinquante kilomètres. Le désert. Dans cette campagne, où est située l'auberge que Madame a baptisée «Le domaine des grandes marées», il n'y a rien si ce n'est un casse-croûte rudimentaire, un dépanneur et un garage, tous trois constituant, avec l'épicerie et l'église paroissiale, les seules commodités de l'endroit que les rafales de l'hiver isolent parfois pendant deux ou trois jours. Quand vous arrivez ici, toute la communauté le sait. Il eut été, pour L. A. Tousignant, plus sécuritaire de disparaître dans la foule de New York. Dans ce pays désolé où la principale distraction est de surveiller son voisin, il ne pouvait passer inaperçu.

Louis-Arthur Tousignant était dans le triomphe de ses quarante-quatre ans. Il portait beau, se trouvait bien de sa personne et n'était pas seul à partager cette opinion. Quand il rencontrait une personne du sexe complémentaire qui pensait comme lui, il leur arrivait de disparaître ensemble pendant deux ou trois jours. Il avait toujours l'alibi d'un voyage d'affaires imprévu. C'était un beau mâle. Il était assez grand, avait le poil noir et luisant, l'œil bleu et la moustache bien taillée. C'était un gaillard de type normand tout à fait bien dans sa peau et heureux d'y être. C'était un jouisseur. Il résistait mal aux tentations et avait pour principe de proclamer que tout ce qui est bon vient de Dieu et qu'on se doit de lui rendre hommage en en profitant abondamment. Chaque fois qu'il allait succomber à une bonne fortune, il levait sentencieusement l'index et affirmait: «Dieu le veut!»

Dieu était constamment à ses côtés et l'aidait dans ses entreprises.

Il avait acheté, d'un ami qui avait pris une retraite hâtive, une petite entreprise de fabrication de bas de nylon et c'était une mine d'or simple, peu coûteuse à opérer et de bon rapport, sans compter la possibilité de ne pas déclarer tous les revenus à l'impôt, ce qui est un avantage additionnel. Une vingtaine d'ouvrières se succédaient sur une dizaine de métiers à tisser. Sa femme surveillait les équipes et supervisait l'emballage des bas dans des enveloppes de cellophane. Lui partait vendre. Il ne distribuait pas son produit dans les grandes villes. Il préférait la clientèle des petits centres, là où la compétition est moins forte. Il avait ses points de vente dans les restaurants, les épiceries et ces petites boutiques artisanales dans lesquelles les femmes de la campagne viennent s'approvisionner en fils, en aiguilles et en tissus. Il installait là ses supports de montre qui pivotaient sur un axe et il y accrochait ses produits. Il offrait des bas de toutes les couleurs et de toutes les grandeurs. Il laissait en dépôt aux propriétaires un petit inventaire de remplacement. Il avait aussi des revendeurs qui avaient leurs territoires propres et qu'il devait approvisionner. Ses représentants parcouraient l'Estrie, la Beauce, la Mauricie, le Lac-Saint-Jean et la Côte Nord. Il s'était réservé les Laurentides et le Bas du Fleuve. À tous les trois mois, il se rendait à Rimouski, puis entreprenait le tour de la Gaspésie et revenait par la baie des Chaleurs et la vallée de la

Matapédia. La Gaspésie était le territoire qu'il affectionnait. C'était de rapport médiocre mais il y avait ses amis, ses restaurants favoris, ses haltes de prédilection et çà et là ses petites tentations discrètes. On l'attendait. Il était chez lui.

Les agents de commerce le raillaient. Pourquoi conserver pour lui-même un territoire aussi difficile que peu rentable, si ce n'est parce qu'il y rencontrait sur sa route des cœurs accueillants qui vivaient dans l'attente de ses retours cycliques. Ce n'était ni vrai ni faux.

Il avait régulièrement ses bonnes fortunes, mais il évitait les récidives et les répétitions: «Bis repetita placet, mais watch-out!» avait-il énoncé dans son vocabulaire de fin lettré. Il ne voulait pas qu'on puisse prétendre avoir des droits sur lui. Il tenait à protéger son indépendance. Son existence de captif en liberté surveillée le satisfaisait. Sa femme, si elle n'était pas particulièrement attirante, compensait par son intelligence et son sens des affaires. Elle avait foi en lui et si, autrefois, elle mourait d'anxiété chaque fois qu'il s'absentait, à force de le voir revenir, elle avait acquis la conviction qu'elle ne courait pas de risque; il reviendrait toujours. Jamais il n'avait rapporté de sales maladies à la maison; or, on sait que les femmes faciles qu'on rencontre au hasard des chemins en sont infectées. Jamais il n'a attrapé de ces maladies qu'on appelle honteuses et qui sont souvent risibles. C'est donc qu'il ne s'est pas exposé souvent. L'angoisse la reprend parfois, mais sitôt qu'il est de retour, elle se sent coupable d'avoir douté de lui.

Il n'exagère pas sur les détours qu'il se permet et reste prudent.

Elle a parfois pensé l'accompagner dans ses tournées. Une fois ou deux elle l'a suivi, mais c'est fatigant et, quand elle est au loin, qui surveille le commerce? Il est trop risqué de laisser les ouvrières sans surveillance. Elles ne ratent aucune occasion de vous voler. Elle a donc choisi de rester à Montréal. Pourquoi partir avec lui? Pour le surveiller? Elle a trouvé d'autres moyens. Elle le tient «par la gansc» comme elle aime dire. En cas de faux pas, il paiera cher. Elle a su prendre ses précautions. S'il fait un écart, il est ruiné! Elle est propriétaire du domicile conjugal et lui a fait endosser les actions de l'entreprise. Ils ont un compte de banque conjoint et elle est bénéficiaire de toutes les polices d'assurance. Il ne lui reste que l'argent qu'il a dans ses poches, l'habit qu'il a sur le dos et le chapeau qu'il porte sur la tête. Dieu l'a créé pour travailler, fournir les signatures indispensables et cautionner les emprunts. Elle voit au reste. C'est une petite femme nerveuse et avisée qui sait prendre les virages. Elle a conscience que son homme ne lui est que prêté et, chaque fois qu'il revient à la maison, c'est autant de gagné.

Elle s'attend à ce qu'il trébuche à l'occasion, mais elle ne doit pas le savoir. S'il la quitte pour une autre, ce sera lui qui en pâtira. Il sera instantanément ruiné et devra se faire vivre par son nouvel amour. Elle conservera l'affaire. C'est elle, de toute façon, qui la fait fonctionner. Les métiers continueront à claquer et elle vendra ses produits par l'intermédiaire des mêmes agents. Elle les connaît et ils savent qu'elle est le véritable patron de la boîte. Elle engagera un nouveau représentant pour les Laurentides, laissera tomber la Gaspésie et l'affaire continuera à marcher peut-être mieux qu'avant.

Il savait à quoi s'attendre et se sentait sous observation, il se tenait donc coi et ne faisait pas trop de faux pas, malgré les assauts qu'il subissait.

Il s'était juré de ne pas retourner à l'hôtel des Dubeau, connu depuis près d'un siècle sous le nom de l'Auberge de la Grande Frileuse. La Grande Frileuse, c'était le surnom d'une ancienne propriétaire, morte depuis longtemps et Colette Dubeau, l'actuelle propriétaire, ne lui était pas apparentée. Mais, quand on parlait de Colette Dubeau, on pensait à la Grande Frileuse et quand on parlait de la Grande Frileuse, on pensait à Colette. Elle ne méritait pas ce surnom. Ce n'était pas une femme froide et elle n'avait pas froid aux yeux. Quand Louis-Arthur Tousignant se présentait là, la patronne tenait à le servir elle-même, allant, s'il était seul dans la salle à manger, jusqu'à s'asseoir à sa table pour lui tenir compagnie. Après avoir renvoyé la cuisinière et l'homme à tout faire, elle mettait sur la table une bonne bouteille qu'elle conservait pour l'occasion. Ils avaient alors des conversations de commerçants qui s'échangent des secrets et se mettent au courant des derniers potins. Quand Tousignant montait à sa chambre, s'il n'y avait pas trop de clients à l'hôtel, il lui arrivait d'avoir de la compagnie.

Il avait commencé à s'arrêter chez elle, il y a une quinzaine d'années. Son mari vivait alors avec elle. Il ne se passait alors rien entre eux. Il n'en était pas question. Ils n'y pensaient même pas. Ils s'entrevoyaient à peine. Un jour, le mari disparut et elle ne s'en montra pas trop affectée. Ils n'avaient pas d'enfants. Jamais, il ne donna de nouvelles. «No news good news», disent les Américains. Il était peut-être mort, quoique, en tel cas, on l'apprenne. Non, il avait probablement recommencé sa vie ailleurs et ne trouvait pas nécessaire de revenir réclamer des biens. Elle avait continué à tenir seule l'hôtel et, à l'occasion, elle s'offrait des consolations. Tousignant en était une. Après leur première flambée, elle fut deux ans sans le revoir, puis la curiosité et le bon souvenir aidant, il revint. Il tâchait d'espacer ses visites et, chaque fois qu'elle le voyait revenir, elle lui demandait: «Alors, il y en a une meilleure que moi dans la région? Parle-moi d'elle. J'adore avoir des rivales et j'adore triompher d'elles.»

C'était une belle femme de quarante ans qui était décidée et qu'on n'impressionnait pas facilement. Elle était sûre d'elle-même, forte et de chair ferme, avec une abondante chevelure noire et des yeux qui ne s'excusaient pas de regarder droit dans les vôtres. Elle avait la certitude que tous les hommes de sa petite ville et des villages avoisinants étaient prêts à se damner pour elle, et elle avait raison. Elle ne voulait rien savoir d'eux et laissait dire qu'elle avait à Québec un ami qui ne cessait de lui offrir le mariage et à qui elle finirait par céder. Il n'en était rien. Elle n'avait personne et elle cherchait. Elle voulait avoir près d'elle un compagnon qui partagerait cette vie qu'elle était sur le point de s'offrir: sous peu, elle liquiderait son commerce et s'achèterait un petit chalet sur le bord d'un lac des Laurentides. Elle vivrait là six mois. Les six autres, elle vivrait en Floride, dans une maison mobile sur un terrain de camping près de Fort Myers. Il ne lui restait plus qu'à se trouver un compagnon.

Et voilà que survient, au terme de cette belle journée d'avril éclatante de soleil, Louis-Arthur Le Magnifique, baignant dans toute la satisfaction d'être ce qu'il est, qui lui demande une chambre et qui est là, à portée de femme.

«*Ecce Homo*, rigola-t-elle en pensant à ce qui l'attendait, lui. Le bel homme que voilà! Cher lui, il est arrivé ici le torse gonflé d'espoir. Il ne sait pas ce qui l'attend. Il obtiendra plus qu'il n'a jamais demandé et il en aura pour son argent, mais le cher homme devra payer de sa personne!»

Ce qui fut fait et advint selon les Écritures, et quand Louis-Arthur se réveilla le lendemain matin, les yeux endoloris et les membres fripés, soudain conscient de ses devoirs et des risques qu'il prenait, et qu'il étendît le bras pour consulter sa montre avec l'intention de déguerpir sans demander son reste, elle lui fit réaliser que la vie d'un bel homme n'est pas toujours aussi simple qu'il le souhaiterait. «Pourquoi regardes-tu ta montre? Prends vent, bel homme, étends tes voiles. À compter de maintenant, nous naviguons de compagnie. Tu n'as pas encore réussi à partir d'ici et cette fois tu ne partiras pas seul. Détends-toi, prends une grande inspiration et respire par le nez, il nous faut parler sérieusement.»

Elle est étendue à côté de lui dans le lit, l'œil malicieux, certaine de son autorité et de sa domination: elle le manœuvre et le possède. C'est une femme impressionnante à l'esprit vif qui joue avec les désirs et l'orgueil de son homme. Il est sans défense. Elle le regarde et rigole. «Chaque fois que tu arrives ici, tu prends ton dû et tu repars repu. Tu lèves l'ancre! Cette fois-ci, on prend le large ensemble. Je pars avec toi, alors étends-toi, reste calme, ferme les yeux et penses-y. Tu ne crois pas que je vais laisser échapper un beau mâle comme toi! Maintenant, je te garde pour moi. Que les autres te trouvent un remplaçant. En lui parlant, elle lui excitait le membre. Elle le travailla si bien qu'il surgît et la culbuta à nouveau. «Tu penses que je vais laisser repartir un homme comme toi, lui dit-elle après l'engagement, repose-toi un peu pour recommencer bientôt!»

La première réaction d'un homme qui réalise soudain ce qui l'attend est de tenter de fuir par tous les moyens, et la meilleure façon, c'est la fuite en avant. «Parfait, dit-il, je t'emmène avec moi!»

C'est un homme expérimenté qui sait faire face au danger et prend rapidement ses décisions: «On se lève, on déjeune, on s'habille et on prend la route. Debout on part!»

Il a pensé rapidement. La meilleure chose qui puisse maintenant arriver, c'est qu'elle hésite et remette l'expédition à plus tard prétextant quelque engagement antérieur ou la nécessité de mettre de l'ordre dans ses affaires avant de partir: continue ta tournée et quand tu reviendras, je continuerai avec toi. Il pourrait alors s'esquiver pour ne jamais revenir.

C'eût été trop beau. Colette aussi savait prendre ses décisions rapidement. «Correct, on part!»

Ils s'habillèrent et, pendant le déjeuner, il était soucieux. Il réfléchissait, tâchant de mûrir sa stratégie. Elle le regardait. Le voyant de plus en plus songeur, elle commença à le mépriser. Ne serait-il qu'un lâche?

— T'en fais pas. Ne te fais pas de mauvais sang. Je ne veux pas d'un homme malheureux. Si tu as peur, on arrête tout et on oublie ce que j'ai dit!

— Pourquoi parles-tu comme ça? Je me demandais si je ne pouvais pas laisser tomber une partie de ma route et prendre une petite vacance? On devrait peut-être s'installer trois ou quatre jours quelque part et rester tranquilles!

Menteur! Il songeait depuis dix minutes au moyen de se débarrasser d'elle et de se défiler et, sitôt qu'il eût réalisé que, déçue de lui, elle était prête à le laisser tomber, son orgueil avait repris le dessus et alors qu'il tenait presque le moyen de se désengager, il remontait dans la barque. La fatuité et la vanité ont toujours causé la perte des hommes.

— Alors, partons. Partons vite. Je ne tiens pas à rester ici jusqu'au printemps. Partons, et si en chemin nous trouvons un endroit qui nous plaise, alors nous nous arrêterons.

— C'est ça. Partons, il y a sûrement une petite auberge où l'on se trouvera bien, dit-elle.

Il réalisa qu'il venait de rater l'occasion de s'en sortir à bon compte et décida qu'il valait mieux se laisser aller au gré du courant et descendre la rivière. Advienne que pourra… et pourquoi pas? Ce n'était pas un grand malheur que d'avoir une si belle femme dans son lit, toute la ville l'enviera sans doute.

Ce jour-là, ils parcoururent deux cents kilomètres par les cols, les côtes glacées et les chemins glissants du bord de la mer. Les hautes vagues inondent la chaussée en battant les rochers de flots qui éclatent et éclaboussent. Il avait fait installer des chaînes à ses roues motrices et avançait lentement. S'il avait été seul, il n'aurait pas forcé sa chance et serait revenu sur ses pas, mais il n'était plus question de rebrousser chemin, il fallait aller de l'avant.

Il était ridicule de se risquer comme il le faisait. Sa grosse Pontiac manœuvrait mal et dérapait sur la glace. Ils ont néanmoins persisté et remonté la côte de village en village, ne s'arrêtant que pour livrer la marchandise promise et percevoir les dûs et les ristournes. Les gens les regardaient partir et se demandaient s'ils les reverraient jamais.

Le soir tombait quand ils parvinrent à l'anse où est située l'auberge de Madame. Il n'était pas question d'aller plus loin. Le blizzard s'était élevé et bientôt les routes seraient fermées.

— Si le vent du nord commence à souffler, inutile de tenter de passer.

— Combien de temps peut durer la tempête?

— Un jour ou deux!

Parfait. Ils s'installeront ici, il connaissait l'auberge tenue par une vieille dame qu'il trouvait touchante et sympathique. Ils se présentèrent donc à l'Auberge des grandes marées, où la patronne les accueillit gentiment. Elle était heureuse d'avoir de la compagnie. Elle n'aimait pas rester seule dans sa grande maison par les temps de grands vents qui marquent la fin de l'hiver. Elle leur donna la chambre des clients de passage et, comme elle m'attendait, elle avait fait quelques provisions et put leur offrir à dîner.

— Je peux vous faire un steak aux champignons. J'ai du filet mignon. Ce ne sera pas long mais il faut que je fasse dégeler la viande. Je ne vous attendais pas…

— Pour moi, d'abord un scotch puis un bain chaud… je suis gelé. Plus tard, je mangerais bien un bon steak! proclama Louis-Arthur.

— Il y a du scotch dans le bar, servez-vous! Madame suivez-moi. Je vous montre votre chambre. Monsieur, pourriez-vous vous inscrire au registre?

Madame s'empara de la valise de Colette qui tenta de protester et, s'appuyant à la rampe, elle la monta à l'étage. C'était la première porte. Elle ouvrit et alluma.

— C'est ici. Dans cette chambre, il y a un lit double, si vous préférez des lits jumeaux, il y a la chambre d'à-côté.

— Nous serons bien ici, répondit Colette.

Elle prit la valise et l'installa sur la banquette à bagage.

— La salle de bains est en face. C'est un vieil hôtel, ici.

— Ça va très bien.

— Si vous avez besoin de quelque chose, demandez, je ferai l'impossible pour vous aider.

— Je vous remercie.

Louis-Arthur arriva au même moment, son verre de scotch à la main, sa valise au bout du bras.

— C'est superbe ici, chéric. Veux-tu que je te serve un whisky... à moins que ce ne soit un Vermouth ou un Dubonnet.

— ... rien pour l'instant! répondit Colette.

— Alors, installez-vous. Je prépare le repas, à tantôt.

Et Madame se hâta vers sa cuisine. En passant, elle consulta le registre. Monsieur et Madame Louis-Arthur Tousignant. Le nom était suivi d'une adresse à Montréal. «On n'invente pas un nom pareil, songea-t-elle, c'est sûrement le leur, autrement il aurait signé Dupont, Durand, Tremblay ou Gagnon. Louis-Arthur Tousignant, c'est sûrement un vrai nom. Ce l'était assurément; il avait l'intention, comme pour toutes ses dépenses de voyage, de payer avec sa carte de crédit. Il ne portait jamais beaucoup d'argent sur lui, les vols sont rares, mais sait-on jamais! Partout il payait avec sa carte, de façon à n'oublier aucune dépense et à tout porter contre ses impôts.

Ils restèrent à l'auberge, sortant peu de leur chambre, sauf pour les repas, pendant les trois jours que dura la tempête, puis ils demeurèrent un jour de plus pour permettre aux charrues et aux souffleuses de déblayer les routes. J'ai tout juste eu le temps de les entrevoir; ils partaient comme j'arrivais. Madame nous présenta. Je sentis l'œil de Colette m'évaluer.

— Monsieur vient ici régulièrement, expliquait Madame. Plus qu'un client, c'est maintenant un ami. Il a sa chambre réservée. Il arrive ici avec ses skis et ses pinceaux. Il m'a promis qu'un jour, il me laissera une toile pour la salle à manger.

— Vous peignez! s'exclama Colette.

— Et si vous saviez comme il fait de jolies choses. Repassez dans une semaine, vous verrez...

— Malheureusement, on ne revient pas par ici, intervint Louis-Arthur, on retourne à Québec en passant par la Matapédia. À notre prochain voyage, peut-être pourra-t-on admirer... allons, chérie, il faut partir. Madame, merci de votre hospitalité. Nous vanterons votre auberge à tous nos amis.

En fermant la porte, Madame se tourna vers moi:

— Des gens tellement charmants. Et vous, comment allez-vous? La tempête a été longue et violente. On ne pouvait pas sortir de la maison. Pendant trois jours, ils sont restés enfermés dans leur chambre à jouer au scrabble... J'avais un jeu ici. Je le leur ai prêté ainsi qu'un *Larousse*. Maintenant, la tempête est finie et les routes sont déblayées. Vous n'avez pas eu de difficulté à venir jusqu'ici?

— Aucune. Un peu de neige à Kamouraska... il y en a toujours de toute façon, mais de Rivière-du-Loup jusqu'ici, aucun problème. J'étais très fatigué avant de partir. Le seul fait d'être ici pour dix jours et je me sens déjà reposé!

— Installez-vous, faites comme toujours, faites comme chez vous. De toute façon, vous y êtes!

Elle était joyeuse et heureuse. Elle avait de la visite. Elle pouvait s'occuper de quelqu'un et ne tournait pas sans but dans sa grande maison. Ce soir-là, elle s'activa dans tous les coins de l'auberge. Elle nettoya la chambre qu'ils venaient de quitter, changea les draps et les couvertures, descendit le tout à la buanderie et fit une grande lessive. Elle nettoya à fond la salle de bains, balaya la salle à manger et changea les nappes. Elle était soucieuse. Je ne comprenais pas pourquoi.

Je me suis couché tôt, ce soir-là. Le lendemain, levé avec le soleil, je suis parti en ski dans les vallées de l'arrière-pays. Mes dix jours de vacances commençaient: ski, peinture, lecture, dodo. Je reviendrais à Montréal oxygéné et reposé.

Au retour, pour ne pas salir le hall, je plantais mes skis dans la neige de la cour et j'entrais par la cuisine. À l'intérieur, je retirais mon parka. J'enlevais mes bottes, me servais un verre de porto. Je tenais compagnie à Madame pendant qu'elle s'activait à ses travaux. Un jour, je vis sur la table un sous-vêtement rose bordé de dentelle. Elle s'apprêtait à l'envelopper dans du papier de soie. «C'est sa petite culotte à elle, je parle de Madame Tousignant. Je l'ai trouvée sous une commode après leur départ, alors je l'ai lavée et je la lui renvoie.»

Elle fit un beau paquet et l'adressa à Madame Louis-Arthur Tousignant à l'adresse inscrite au registre et qui correspondait bien à celle de la carte de crédit. Une belle petite boîte proprette qu'elle enveloppa soigneusement dans du papier brun. Elle prit soin de tout ficeler pour que la boîte ne s'ouvre pas. Elle colla les timbres.

Le lendemain, j'avais affaire au dépanneur qui sert aussi de bureau de poste. Madame ne me voyait pas. Je la vis entrer. Elle s'approcha du guichet de la poste. Il y avait là un coffre avec une fente pour les enveloppes et une porte à bascule pour les colis. Je la vis distinctement. Elle laissa tomber le paquet dans la boîte en fermant les yeux puis elle s'enfonça les doigts dans les oreilles comme un enfant qui vient de glisser un pétard dans une boîte à lettres et pouffa de rire.

Il y aura sans doute une explosion lors de la livraison du colis.

C'était une très touchante vilaine vieille dame.

La chapelle ivre
Un conte de Noël

Joyeux comme Louis!

Personne n'aime la vie comme lui. Toujours en farces et en bons mots. Avec lui, on ne s'ennuie pas. Pas très grand, plutôt corpulent à cause de ses constants excès de boire et de manger, il est toutefois toujours en mouvement. Des yeux rieurs, une moustache de jouisseur lui barrant le visage, il rigole tout le temps. Margot, sa compagne est plus sérieuse. Ils ne sont pas mariés, mais sont inséparables depuis bientôt six ans.

Elle fait tout. Elle a tenu à conserver un petit emploi pour sauvegarder son indépendance. Elle seule tient le ménage et voit aux achats. Elle calcule pour deux. Ils n'ont pourtant ni bonne ni femme de peine. Avec les revenus qu'ils ont tous les deux, ils pourraient se le permettre. Margot voit à tout, tant au chalet qu'à l'appartement.

Le chalet est à son nom, même si les deux ont contribué à le payer. Lou est bien bon, mais les hommes sont ce qu'ils sont, pour un oui ou pour un non, ils disent «bonsoir» et on ne les revoit plus. Il est donc préférable de prendre ses précautions. L'automobile et certains meubles, comme la télévision, le magnétoscope, la chaîne stéréophonique, sont à lui, le chalet et son contenu, à elle.

Margot administre la maisonnée. Lui, il travaille. C'est tout, mais c'est beaucoup parce qu'il travaille fort. Il gagne très bien. Il est dans la vente. Sa jovialité y fait des merveilles. Trois soirs par semaine au moins, il dîne avec des clients et rentre tard à la maison. Il aime bouger. Il aime rencontrer les gens et rire avec eux. Il connaît tout le monde et tout le monde le connaît. Partout où il passe, quelqu'un le salue. Il est de toutes les réceptions et, l'été, s'il acceptait toutes les invitations, il jouerait au golf sept jours par semaine. Il n'en accepte que la moitié et s'est fixé un objectif: une vente au neuvième trou, une autre au dix-neuvième, et il y parvient assez bien.

Lui-même, quand il reçoit, quelle fête! Il s'occupe des gens et de l'alcool, Margot voit au reste. Comme ses fêtes sont généralement assez turbulentes, il invite les voisins, ce qui évite les plaintes. Ils arrivent les premiers et partent les derniers. Quand il reçoit à la campagne, il prévient aussi les policiers, afin qu'ils ne distribuent pas de contraventions pour stationnement illégal le long du chemin. Il les invite même à venir faire un petit tour quand leur service sera fini: «Venez nous voir, il y aura du monde et Margot a préparé un buffet exceptionnel. On vous attend.» Les policiers viendront, en civil, après le service. On s'amuse bien chez Louis. Il y a même des gens qui s'invitent d'eux-mêmes. Ils arrivent, prennent une tasse et puis une autre, se présentent aux convives et finissent par rencontrer le maître et la maîtresse de maison. «Vous savez, il fait beau, on n'arrivait pas à dormir. On a donc fait une petite marche et, en passant devant chez vous, on a rencontré des amis qui nous ont dit: "Venez donc! Vous ne connaissez ni Louis ni Margot. Allons, ce n'est pas une raison!" On est donc entré!»

L'hiver, c'est plus compliqué. Il y a la neige et les tempêtes. Il n'invite donc que des gens des alentours qui peuvent aisément retourner chez eux après la fête et quelques amis très chers qu'il arrive à loger chez lui ou à l'hôtel du village.

Il ne supporte pas de rester seul à Noël. Il lui faut une foule autour de lui, pour l'amuser et le distraire. Il a le temps des Fêtes triste. Il voit tout en noir et craint le malheur. C'est sûrement la saison et le climat. Il fait si sombre au Québec en décembre, quand le soleil se couche à seize heures et que le vent s'élève. Noël l'angoisse.

Il y a quelques années, il fuyait le pays le vingt décembre et descendait à Miami, puis il a découvert le Mexique: Acapulco, Puerto Vallarta. Chaque année, il descendait là et habitait un de ces immenses hôtels blancs qui bordent la plage. Il passait pour un gringo et s'en amusait bien. Il y est retourné chaque année, jusqu'à ce qu'il attrape un mal de ventre accompagné de dysenterie qui a duré huit jours, le mal de Montezuma. Quand il est revenu, il est entré à l'hôpital presque déshydraté et y est resté vingt jours. Depuis, il reste chez lui. Ici, il fait froid, mais dans l'eau, il n'y a ni requin comme en Floride ni microbes comme au Mexique. Mais, ici, il n'y a pas le soleil, le Dieu Soleil, et il lui faut une fiesta pour compenser.

La fiesta. Il commence les préparatifs dès le début décembre quand l'angoisse le prend. Cette année, les voisins descendent à Miami, il leur a emprunté leur chalet pour y loger ses amis. Les invités arriveront pour la messe de minuit qu'on célèbre ici à dix heures parce que le curé a trois autres chapelles à desservir.

La desserte du lac Perdu! C'est une petite église au bout d'un grand lac gelé. L'été, ils sont trois ou quatre cents à s'y rendre. L'hiver, ils y sont rarement plus de trente les dimanches ordinaires, mais pour Noël, tout le monde s'y donne rendez-vous. Ils arrivent là en parkas ou en capots de chat, heureux de se revoir après si longtemps. La marguillière, une ancienne pianiste de club de nuit, se met à l'harmonium et tout le monde chante. C'est une fête.

Avant de s'y rendre, Louis attend ses invités à la maison. C'est un grand chalet en bois rond. On entre et la chaleur vous saute au visage. La cheminée pétille et crépite, le poêle à bois surchauffe la pièce comme un sauna. Ils ont bien le chauffage électrique, mais rien ne vaut le gros poêle de fonte noire pour réchauffer la maison et faire la cuisine. Il y a toujours une soupe qui mijote et de l'eau chaude pour le thé. C'est très coloré, à l'intérieur, des tapis indiens d'Arizona, des chaises de rotin, des catalognes québécoises, des raquettes et de vieilles armes accrochées aux murs, une grande table, des moquettes, des coussins et, en plein milieu, les bras ouverts pour vous recevoir, Lou, un immense sombrero à pompons sur la tête, le poncho sur les épaules, un verre de tequila ou d'arguardiente dans chaque main. «I Buena Navidad, Compadres!» Toute la soirée, il exhumera son espagnol de Guide Berlitz et appellera Margot, Carmencita. Évidemment, la musique ambiante vient d'un disque de mariachi et il y aura de la paella au réveillon.

Neuf heures sonnent. Lou revêt sa tenue de motoneigiste. Il se rendra à l'église en motoneige, c'est le seul moyen d'être certain de revenir à temps et de n'être pas pris dans l'embouteillage du stationnement paroissial. Avec toute la neige qu'il y a cette année et cette manie qu'ont les gens de garer leur voiture n'importe où, on n'est jamais certain de pouvoir repartir comme on veut et, souvent, on doit attendre que les autres dégagent le passage, et ça n'en finit plus. Il se rend donc à l'église en motoneige. Il fait alors son entrée dans la nef vêtu comme un chevalier de l'espace, botté haut, revêtu d'une combinaison prévue pour les espaces intersidéraux avec, sur la tête, un heaume étincelant dont il relève la visière de plastique transparent. «Comme tu es beau, habillé comme ça! s'est exclamée Rita, une de leurs invitées. On dirait Flash Gordon, ou plutôt Glenn Ford, le cosmonaute…! Répète après moi, Lou: "C'est un petit pas pour l'homme, mais un grand pour l'humanité." Quelle étoile t'en vas-tu découvrir, Lou? Est-ce que je ne pourrais pas parfois être ton étoile…? Il ne te plairait pas parfois de m'explorer?»

Toujours la même, Rita, provocante et osée, mais vous lui mettez la main sur une fesse et la voilà qui hurle! «Rita, ma petite gueuse de Bételgeuse, je finirai bien un jour par atterrir sur toi!» Elle n'en demande pas davantage. Des mots, des mots… alors, qu'on lui en serve, ça ne coûte pas cher et ça fait plaisir!

L'heure venue, il s'est rendu à la chapelle par la piste de motoneige. Elle passe à trois cents mètres de la maison. Il y parvient par un chemin d'accès qu'il a ouvert lui-même. La piste, une voie publique et régulièrement patrouillée, un embranchement de la trans-québécoise. En partant de chez Lou, vous pouvez circuler par tout le

Québec sur le réseau forestier. Des ponts de bois traversent les rivières, des refuges et, si vous êtes particulièrement aventurier, vous pouvez, en empruntant les anciens chemins de bois, parvenir à la Manouane, de là atteindre Sanmaur ou le barrage Gouin, puis passer à Chibougamau. Lou se propose de tenter un jour l'aventure. Il veut se rendre à Senneterre, de là à Quevillon, et pousser jusqu'à la baie de James en passant par Ashwanipi et Mattagami. Margot ne veut pas entendre parler de cette aventure, mais Lou se cherche des coéquipiers. C'est un voyage de trois mois au moins... même plus! La baie d'Hudson! Il se prépare. Il a pris des cours de mécanique pour pouvoir réparer et entretenir sa machine et il collectionne les cartes géographiques du Grand Nord. Ils sont déjà trois conjurés qui partiront malgré tous les pleurs de leurs femmes. «Aucun danger, on vous parlera chaque soir», disent-ils; l'un d'entre eux est technicien de radio.

Ses invités sont allés à la messe en automobile, lui, sur la motoneige, est arrivé à la chapelle avant eux. Il connaît si bien la piste. Il sait où accélérer. Dans les lignes droites, il monte sûrement à quatre-vingt ou à cent kilomètres à l'heure. Sa motoneige est une machine puissante et lourde. Il l'a poussée au bout et, quand ses amis sont arrivés, il était là qui les attendait sur le parvis de l'église. Il a alors sorti de son coffre une bouteille de gros gin canadien. Elle a passé de bouche en bouche et, rendu au bout de la file, il l'a lancée en l'air: «Joyeux Noël! a-t-il ri. Il y a d'autres bouteilles dans le coffre, s'il y en a qui ont soif pendant la messe, ils n'ont qu'à sortir... tiens, aussi bien en laisser une près de la porte.» Il prend une bouteille et l'enfonce dans la neige, puis il ouvre la porte et, avant tous les autres, pénètre dans l'église.

C'est chaleureux. On se sourit et, même si on ne se connaît pas, on se salue et on échange de bons vœux. Manifestement, la fête est déjà commencée. On a mangé avant de venir ici et le réveillon se poursuivra après la messe. Tous ceux qui sont ici ont quitté Montréal ce matin. Arrivés, il leur a fallu pelleter, déblayer l'allée qui mène à la maison, décharger l'automobile. Quand l'heure du souper est venue, l'heure de la première pause, ils ont ouvert les premières bouteilles et, le pousse-café à peine fini, il a fallu se rendre à la messe. On ne jeûne plus le 24 décembre... c'est fini le maigre et jeûne... depuis longtemps! Qui donc, aujourd'hui, se rappelle qu'il fallait autrefois jeûner la veille de Noël! On n'entend plus trois messes, non plus. Pensez-y, trois messes le ventre vide! Comment faisaient-ils, alors? On se privait autrefois, vous savez! On ne se privait pas pour des raisons de santé ou pour soigner son apparence, mais pour se mortifier! Se mortifier, qu'est-ce que c'est? Il n'y en a pas beaucoup dans cette chapelle qui aient l'habitude des privations et de la mortification, même pas le curé. La religion a bien changé depuis le jour de notre baptême...

Quand même, on fête un peu fort dans l'église, ce soir. Le curé, monté derrière l'autel, l'autel du Dieu qui réjouit ma jeunesse et qui fait face à la foule les bras en croix, les paumes ouvertes dans un geste de bienvenue, n'arrive pas à se faire entendre. Il reste donc là, immobile, et attend.

Enfin le silence. Le prêtre donne le signal et Carole Lazure, le rossignol du lac Perdu, entonne le «Minuit Chrétien». Elle ne fut pas seule à chanter, elle qui s'était préparée pour un solo et qui croyait que seul le refrain: «Peuple à genoux, attends ta délivrance» serait repris par l'assistance, elle s'est trompée, tous chantent en chœur à pleins poumons. Le pasteur est effaré. Que se passe-t-il, ce soir? Il va falloir accélérer l'office si on veut éviter l'émeute.

Il a fait un clin d'œil au Rossignol des Neiges et elle continue de faire chanter la foule: «Il est né le divin enfant», «Entre le bœuf et l'âne gris», « Adeste Fideles». Elle les a tous passés, ne s'arrêtant que pour l'élévation. La communion n'en finissait plus. Il sembla même au curé qu'on allait manquer d'hosties; certains repassaient-ils? Tout le monde s'avançait les yeux baissés et la langue tirée. Un instant le curé a hésité; allait-il refuser les saintes espèces à ceux qui manifestement avaient déjà abusé de l'une d'elles? «Dieu reconnaîtra les siens!» pensa-t-il, paraphrasant un mot malheureux utilisé en des circonstances bien différentes. Il distribuait donc et Carole se présenta, abandonnant le micro. On ne chantait donc plus. Ce n'était pas le silence, tout le monde parlait, mais on ne chantait plus. C'est alors qu'une voix forte s'éleva: «*Stille Nacht. Heilige Nach!*» On se retourna, c'était Hans Spittendorfer du lac Marigot qui y mettait du sien… Alors là, si les Teutons peuvent se le permettre, chacun a le droit à sa version. On entonna à sa suite: «Ô Nuit d'amour», les Anglophones modulant: «*Silent Night*». Il y avait aussi les Lithuaniens qui avaient pris un petit peu de vodka avant de partir, les Hongrois de Kismagyarorszag du lac en Cœur, les Ukrainiens qui finiront par chanter: «*Gospodi*». Même les Écossais étaient représentés. Pinky McIntyre, seule propriétaire de la moitié du lac Kemistijo, calviniste et abstinente toute l'année, devient papiste une fois l'an. Elle est là, ravie, presque extatique, elle s'est même permis un peu de whisky ce soir. Elle se convertirait, tant elle est heureuse. Elle vient de réaliser son rêve le plus ancien:

chanter un solo dans une église bondée de gens qui l'écoutent et scandent son chant de «La La La» ou de «Humm»… respectueux.

Chacun y allait donc de son couplet ou de son air favori. Le curé, complètement affolé, accélérait la distribution.

La foule maintenant chantait «Edelweiss» qui succédait à la chanson du petit renne «On l'appelait nez rouge». À quelques reprises, Lou était sorti suivi d'un ou deux autres et, dehors, il tirait de la neige une bouteille de gin ou de vodka. Ils se réchauffaient le gosier, s'éclaircissaient la gorge et retournaient chanter. D'autres ont découvert le manège et ont suivi, produisant à l'heure de la postcommunion, un va-et-vient continuel. La porte n'arrête pas de claquer et on entend des gens rire et parler fort à l'extérieur.

Il faut que ça finisse. Avant de renvoyer les gens, le prêtre tient toutefois à leur dire un dernier mot. Il arrête la cérémonie et s'adresse directement aux fidèles:

— Mes amis…

— Amen, intervient une voix venue du fond de l'église.

— Avant de vous laisser aller, votre pasteur, selon la tradition, tient à vous présenter ses meilleux vœux de Noël.

— Amen, approuve la voix.

— Puissiez-vous être heureux et modérés dans votre joie.

— Amen.

— Il y en a beaucoup que j'ai le plaisir de voir ici pour la première fois, qu'ils se sachent les bienvenus.

— Amen!

— Qu'ils reviennent nous voir plus régulièrement, non pas seulement une fois l'an pour des raisons qui sont plus proches du folklore que de la foi.

— Amen! ponctua la voix.

— C'est ça. Amen et *Ite missa est*, puisque vous y tenez!

L'assemblée se mit à rire. Finalement, c'est l'officiant qui aura eu le dernier mot. Comme il est d'usage, les gens allèrent le saluer et lui serrer la main avant de sortir, mais la bande à Louis sortit immédiatement, inutilement d'ailleurs parce que le chemin était obstrué de voitures. On s'installa donc dans les autos et on fit tourner les moteurs en attendant.

Les motoneigistes avaient fait démarrer leurs mécaniques et les moteurs grondaient. La cloche de la chapelle, agitée par tous les enfants présents à la messe, ne cessait pas de sonner. Il faisait un froid sec très piquant. La fumée des tuyaux d'échappement émettait un nuage qui flottait sur place.

Finalement, la caravane s'ébranla, voiture par voiture, et bientôt le stationnement de l'église fut désert. Seule y bougeait encore la fumée de la cheminée qui montait droit dans un ciel brillant de constellations, immense et silencieux.

Lou est parti le premier avec toute la vitesse de sa motoneige. Il fonce dans la nuit, à genoux sur son siège, penché sur le guidon, blotti derrière le pare-brise. Il y a beaucoup de neige et les arbres sont plaqués de taches blanches. Au bout du lac, là où convergent les sentiers venant de partout, un blizzard s'est élevé et la neige remonte la piste. Les lumières de ses phares lui permettent à peine de se guider. Il doit ralentir. Le vent baisse un peu et la poussière de neige retombe. Il reprend sa vitesse. C'est différent la nuit, les arbres sont plus hauts, la piste plus étroite, les courbes plus accentuées et les ombres s'allongent. Depuis vingt minutes qu'il roule, il devrait être rendu depuis longtemps. Se serait-il trompé de piste? Il se pourrait. Aurait-il dépassé son entrée?

Il faut qu'il continue, qu'il parvienne à une autre affiche de signalisation. Il ne sait vraiment pas où il est rendu. Il modère, avance maintenant lentement et tente de se situer. Rien... toujours rien... C'est d'ailleurs une piste beaucoup plus étroite, il ne sait même pas où il s'est trompé. Peut-être à la jonction, au bout du lac. Il y a là six ou sept pistes qui partent en étoile...

Pourtant, il vaudrait mieux savoir laquelle il a prise. Il continue donc. Il se tient maintenant bien droit, agenouillé sur son banc, et il tente de reconnaître le chemin... Il devrait savoir... Toujours rien. Il immobilise alors sa machine, laissant toujours tourner le moteur, il fouille dans son coffre et sort le bouteille de gin. «Joyeux Noël!» se souhaite-t-il. Pas de panique, surtout pas! Une grande gorgée, profonde, qui vous coule dans le larynx puis continue à descendre comme de l'acide qui fait son chemin dans les circonvolutions des boyaux. Il en frissonne. Il se râcle la gorge. Maintenant, il faut virer bout pour bout et retourner d'où l'on vient en suivant ses traces. Manifestement, il est le premier et le seul à être passé par ici ce soir. Il saura bien retrouver l'endroit où il a dévié.

Il descend de l'engin et saisit les poignées de l'arrière. Plutôt que de soulever la machine, c'est lui qui s'enfonce lui-même dans la neige. Il est maintenant calé jusqu'aux genoux et à peine a-t-il réussi à déplacer l'arrière d'un mètre ou deux. Et toute cette fumée, ce gaz qui ne cesse de l'incommoder. Son engin pèse au moins deux cent cinquante kilos, peut-être trois cents. Un petit effort encore!

Il ressentit alors une cinglante douleur à la poitrine, une douleur grondante qui se termina par un coup violent à la nuque. Il tomba. La machine tournait toujours et lui envoyait ses gaz en plein visage. Le moteur continua de rouler pendant une demi-heure puis s'étouffa. Les phares s'éteignirent. La neige continua de tomber et recouvrit tout. Il n'y avait plus que le silence, la nuit et le froid.

Il se retrouva donc là où il n'aurait jamais cru aboutir ce soir-là, en habit de motoneige, bottes de feutre aux pieds, le heaume sur l'avant-bras. Il faisait froid aussi à la Porte du Paradis. Le vent soufflait devant la porte fermée. C'était humide, le vent soufflait et le froid piquait. Il avait beau frapper, personne ne venait. Finalement, la porte s'est entrouverte. On entendait des bruits de fête et des rires. Ici aussi, c'est Noël. Saint Pierre revêtit un froc, sortit et referma la porte derrière lui. Il regarda tout autour. Il n'y a personne, sauf Lou. Personne ne surveille. Saint Pierre fouille donc dans le tas de neige près de la porte et sort un flacon.

— T'en veux un peu? dit-il à Lou.

— C'est pas de refus, répond le nouvel arrivé.

— C'est de la vodka polonaise, en l'honneur de Jean-Paul II et de Solidarnosc... tu sais que Walesa a eu le Prix Nobel...

— On m'a dit ça.

— Goûte un peu avant d'entrer... Comme ça, vous avez fêté fort au lac Perdu! Le boss a bien ri. Il l'a trouvée bien drôle. Le curé affolé, la directrice de la chorale scandalisée et tous les gens dans l'église qui se tenaient par les coudes et qui se balançaient en chantant «Edelweiss», même Pinky McIntyre qui se faisait aller. C'était dans le parfait! Finis ton verre... faut rentrer. Tu sais que tu es attendu... en veux-tu un autre?

— Allons-y, pendant que vous y êtes!

Saint Pierre lui en versa deux ou trois autres et prit lui-même une petite rasade supplémentaire.

— ... Tu es attendu, tu vas te faire étriver un peu, pas pour ce qui s'est passé ce soir, au contraire, ça pourrait même t'aider. Le Seigneur aime bien rire. C'est plutôt pour quelques vieux péchés que tu ne regrettes pas du tout et dont tu te vantes même...

— Vous nous en donnez les moyens et vous ne voulez pas qu'on en use!

— Arrête... arrête! Ne commence pas à plaider, ce n'est pas moi le Juge. Je te préviens tout de suite, tu vas te faire étriver, ça va chauffer un peu, une bonne correction et, après ça, tu seras bon pour aller chanter des cantiques avec les autres. Finis ta vodka, on nous attend!

Et saint Pierre ouvrit la porte. Louis avala le reste de son verre, la tête envoyée vers l'arrière, s'assura qu'il avait bien tout bu, lança le verre dans la neige, puis passa résolument la porte.

C'est du moins ce qu'on raconte au lac Perdu.

Table